CHINESE MADE EASY

Workbook

Simplified Characters Version

轻松学汉语（练习册）

Yamin Ma
Xinying Li

Joint Publishing (H.K.) Co., Ltd.
三联书店（香港）有限公司

Chinese Made Easy (*Workbook 5*)

Yamin Ma, Xinying Li

Editor	Luo Fang
Art design	Arthur Y. Wang, Yamin Ma, Xinying Li
Cover design	Arthur Y. Wang, Zhong Wenjun
Graphic design	Zhong Wenjun, Zhou Min
Typeset	Feng Zhengguang, Zhou Min

Published by
JOINT PUBLISHING (H.K.) CO., LTD.
Rm. 1304, 1065 King's Road, Quarry Bay, Hong Kong

Distributed by
SUP PUBLISHING LOGISTICS (HK) LTD.
3/F., 36 Ting Lai Road, Tai Po, N.T., Hong Kong

First published January 2004
Second edition, first impression, July 2006

You can contact us via the following:
Tel: (852) 2525 0102, (86) 755 8343 2532
Fax: (852) 2845 5249, (86) 755 8343 2527
Email: publish@jointpublishing.com
http://www.jointpublishing.com/cheasy/

轻松学汉语 （练习册五）

编 著 马亚敏 李欣颖

责任编辑	罗 芳
美术策划	王 宇 马亚敏 李欣颖
封面设计	王 宇 钟文君
版式设计	钟文君 周 敏
排 版	冯政光 周 敏

出 版	三联书店（香港）有限公司
	香港鲗鱼涌英皇道1065号1304室
发 行	香港联合书刊物流有限公司
	香港新界大埔汀丽路36号3字楼
印 刷	深圳市德信美印刷有限公司
	深圳市福田区八卦三路522栋2楼
版 次	2004年1月香港第一版第一次印刷
	2006年7月香港第二版第一次印刷
规 格	大16开 (210 x 280mm) 200面
国际书号	ISBN-13: 978.962.04.2593.6
	ISBN-10: 962.04.2593.6

©2004, 2006 三联书店（香港）有限公司

Authors' acknowledgments

We are grateful to all the following people who have helped us to put the books into publication:

- Our publisher, 李昕、陈翠玲 and our editor, 罗芳 who trusted our ability and expertise in the field of Mandarin teaching and learning, and supported us during the period of publication
- Mrs. Marion John who edited our English and has been a great support in our endeavour to write our own textbooks
- 张宜生、吴颖 who edited our Chinese
- Arthur Y. Wang, Annie Wang, 于霆、龚华伟 for their creativity, skill and hard work in the design of art pieces. Without Arthur Y. Wang's guidance and artistic insight, the books would not have been so beautiful and attractive
- Arthur Y. Wang who provided the fabulous photos
- 刘春晓 and Tony Zhang who assisted the authors with the sound recording
- Our family members who have always supported and encouraged us to pursue our research and work on this series. Without their continual and generous support, we would not have had the energy and time to accomplish this project

CONTENTS 目 录

第一单元　节日与庆典

第一课　中国的传统节日

1 翻译以下短语

1. 新年快乐
2. 身体健康
3. 心想事成
4. 恭喜发财
5. 学业进步
6. 大吉大利
7. 万事如意
8. 出入平安
9. 得心应手

2 填表

日期	节日	食品	活动
阳历一月一日			
农历正月初一			
农历正月十五			
阳历四月五日前后			
阳历五月一日			
农历五月初五			
农历八月十五			
阳历十月一日			
农历九月初九			

3 根据课文判断正误

☐ 1) 过年时，小孩不许跟大人一起上桌吃年夜饭。

☐ 2) 清明节这一天，严禁小孩去扫墓。

☐ 3) 春节期间，大人不准孩子说不吉利的话。

☐ 4) 中秋节晚上香港人有烧蜡烛的习惯。

☐ 5) 春节期间，晚辈也可以给长辈压岁钱。

☐ 6) 端午节禁止赛龙舟。

4 造句

1. 能
2. 可以
3. 不许
4. 禁止
5. 严禁

1

5 阅读理解

春节的传说

传说很久以前，有一种四角怪兽叫"年"。除夕一到，它就出来伤害人畜。后来人们发现它怕红、怕火，还怕爆炸声，就想出了对付它的好办法。有一年除夕，家家户户的门上都贴上了红色的纸，屋子里灯火通明，孩子们还在院子里不停地燃放爆竹。天一黑，"年"果真来了，但看到门上的红纸和家里的灯火，又听见爆竹声，吓得逃得远远的，后来就再也不敢出来做坏事了。而这种风俗就一直保存了下来。如今，春节期间，人们在门上贴春联，放鞭炮、爆竹，还放焰火。因为过完农历新年就是春天，所以这个节日又叫"春节"。

根据上文回答下列问题：

1. 传说中的"年"是一种什么动物？
2. "年"什么时候出来做坏事？
3. "年"怕什么？
4. 现在人们过春节为什么还放鞭炮、爆竹？
5. "春节"这个名称是怎么来的？

查字典：

1. 兽
2. 伤害
3. 发现
4. 爆炸
5. 对付
6. 燃放
7. 爆竹
8. 风俗
9. 保存
10. 鞭炮
11. 焰火

6 配对

1. 传统	a. 活动
2. 互相	b. 结束
3. 庆祝	c. 日子
4. 吉利	d. 蜡烛
5. 公众	e. 之夜
6. 生日	f. 健康
7. 圆满	g. 帮助
8. 纪念	h. 假期
9. 身体	i. 食品
10. 除夕	j. 邮票

7 找反义词

1. 流行 _____
2. 快乐 _____
3. 马虎 _____
4. 闷热 _____
5. 民间 _____
6. 末尾 _____
7. 普通 _____
8. 内心 _____
9. 目前 _____
10. 起点 _____
11. 前因 _____
12. 热闹 _____

凉快	外表	将来	官方
痛苦	开端	认真	后果
过时	特别	终点	冷清

8 用所给词语填空

1. 除了过年过节，我们跟叔叔一家平时没有什么_____。

2. 这家公司出产的灯笼闻名_____。

3. 他一天到晚玩蜡烛，_____要出事儿。

4. 新年_____，他收到了很多贺年卡。

5. 我每天去海边跑步，每次跑三个_____。

6. 他长得_____有点像他外公。

7. 这双鞋_____正合适。

8. 厨房灯的_____在哪儿？

9. 今年我收到的压岁钱有两千块_____。

10. 大年初一这一天，我_____收到了三十多个手机贺年短信。

前后 around (a certain time)

先后 early or late; one after another

左右 around; or so

来回 round trip

多少 more or less

来往 contact

大小 size

中外 China and abroad

开关 switch

早晚 sooner or later

9 写一写

1 以前中国人过年，每个人，特别是孩子，都穿新衣服。现在中国人的生活水平普遍提高了，每天都可以穿新衣服。你能写出你学过的衣服的名称吗？（至少写四个）

1._____ 2._____ 3._____ 4._____

2 春节期间，中国人会做很多好吃的菜。一家老小、亲戚朋友会聚餐，大吃一顿。你能写出你学过的食物的名称吗？（至少写四个）

1._____ 2._____ 3._____ 4._____

3 中国人的春节一般在阳历一、二月份，那时中国的大部分地区天气都比较冷。你能写出关于天气的词语吗？（至少写四个）

1._____ 2._____ 3._____ 4._____

4 中国人过年要说吉利的祝贺语。你能写出几个？（至少写四个）

1._____ 2._____ 3._____ 4._____

5 中国人过年时吃的东西大多都包含吉利的意思。你能写出这些食物的名称吗？（至少写四个）

1._____ 2._____ 3._____ 4._____

3

清明节

查字典:
1. 祭祖
2. 敬献
3. 花环
4. 踏
5. 晴朗
6. 返
7. 谚语
8. 荡秋千
9. 斗鸡

　　每年的四月五日前后是清明节。清明节这天人们扫墓祭祖、敬献花环，纪念死去的亲人。清明节又叫"踏青节"。四月初，春暖花开，天气晴朗，万物返青。人们去郊外春游、野餐，欣赏大自然的风光，呼吸新鲜空气。清明也是每年农事的重要时刻，有句农民谚语说："清明前后，种瓜种豆。"

　　清明节有很多风俗，比如清明节前两天家家户户禁止用火，只吃前几天做好的冷饭冷菜。当然现在这种习俗已经没有了。清明节还有放风筝、荡秋千、踢球、斗鸡等活动。

根据上文判断正误:

☐ 1) 每年的清明节都在四月五日。

☐ 2) 清明节期间人们只是去扫墓而已。

☐ 3) 清明前后人们去郊外春游、野餐、欣赏大自然的风光。

☐ 4) 农民在清明前后开始忙着播种。

☐ 5) 如今，清明节前人们一般不做饭。

11 方框中的祝贺语适合哪种场合

1. 新年贺语＿＿＿＿＿＿＿＿＿＿＿＿＿

2. 生日祝贺语＿＿＿＿＿＿＿＿＿＿＿＿

3. 结婚祝贺语＿＿＿＿＿＿＿＿＿＿＿＿

4. 商店开张祝贺语＿＿＿＿＿＿＿＿＿＿

a. 健康长寿	i. 新年大吉
b. 花好月圆	j. 财源广进
c. 新年愉快	k. 生日快乐
d. 开张大吉	l. 寿比南山
e. 恭喜发财	m. 百年好合
f. 身体健康	n. 出入平安
g. 万事如意	o. 龙凤呈祥
h. 喜结良缘	p. 生意兴隆

12 动手做一做

春节休假在家，很多家庭都做些传统的食品供一家人品尝。

以下是做春卷的步骤。

原料	作料
春卷皮	食油、盐
瘦猪肉	黑胡椒
大白菜	麻油
胡萝卜	料酒
葱、姜	酱油
蛋清	淀粉

做春卷的步骤：

1. 把买来的春卷皮一张一张地轻轻分开。
2. 拿一张春卷皮，放在桌上，放上一些馅，然后包好。
3. 最后在接口处涂上蛋清，以免春卷散开。
4. 在一只小锅里放入油，把春卷放入油里煎（小火）。等春卷煎成金黄色后就可以出锅装盘了。

春卷馅的做法：

1. 把瘦猪肉用清水冲一下，然后切成肉丝，放在碗里，放入少许酱油、盐、料酒、胡椒、葱花、姜丝、淀粉腌二十分钟。
2. 把胡萝卜、大白菜切成丝。
3. 把锅烧热，加油。等油烧热后，放入腌好的肉丝炒一下（大火），然后出锅放在碗里。
4. 再在锅里放少量的油，放入胡萝卜和大白菜丝炒一下，放一些盐、水后盖上锅盖。三到五分钟后再放入炒好的肉丝一起炒一下。
5. 放入两汤匙淀粉在碗内，放一些水搅拌一下，倒入锅内。
6. 最后放入葱花和麻油，盛在一只碗内。
7. 等到炒好的春卷馅冷却后就可以包春卷了。

注意：一定要包好一个春卷，马上放入锅内煎。最好别把春卷全部包好，放一段时间后再入油锅。

13 解释下列词语（注意带点的字）

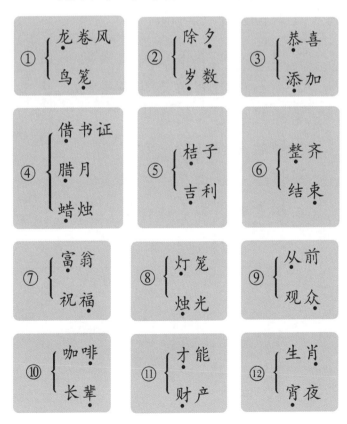

① { 龙卷风 / 鸟笼 }
② { 除夕 / 岁数 }
③ { 恭喜 / 添加 }
④ { 借书证 / 腊月 / 蜡烛 }
⑤ { 桔子 / 吉利 }
⑥ { 整齐 / 结束 }
⑦ { 富翁 / 祝福 }
⑧ { 灯笼 / 烛光 }
⑨ { 从前 / 观众 }
⑩ { 咖啡 / 长辈 }
⑪ { 才能 / 财产 }
⑫ { 生肖 / 宵夜 }

年画和春联

春节是中国的汉族和许多少数民族共同的节日。过年时，为了避邪、求吉利，人们会在门上、墙上贴上年画、春联或挥春。

年画的主题各地大同小异，大多以丰收、多子、长寿、吉祥如意为主，色彩很鲜艳，看上去喜庆，很有节日气氛。

人们通过写春联、贴春联来描绘时代背景，表达美好的愿望及喜迎新春佳节的心情。春联是对联的一种。对联通常是以四个字、五个字或更多的字写成的，但又是对偶的句子，例如：冬去山明水秀，春来鸟语花香。对联的种类很多，不同的场所可以贴不同的对联。

挥春一般是四个字的，内容以进取、求吉利为主，有的挥春跟当年的生肖有关。"龙马精神"、"学业进步"、"万事如意"、"出入平安"、"恭喜发财"、"生意兴隆"、"步步高升"、"心想事成"、"大吉大利"等挥春适合于任何一年。

查字典：

1. 避邪
2. 主题
3. 大同小异
4. 丰收
5. 长寿
6. 吉祥如意
7. 鲜艳
8. 气氛
9. 对偶
10. 描绘
11. 背景
12. 愿望
13. 佳节
14. 进取
15. 兴隆
16. 高升

根据上文回答下列问题：

1. 中国人过春节时为什么贴年画、春联？
2. 年画的内容主要有哪些？(列出三个)
3. 春联表达什么意思？
4. 对联是否只有一种？
5. 挥春一般由几个字组成？
6. 挥春的内容表达什么？

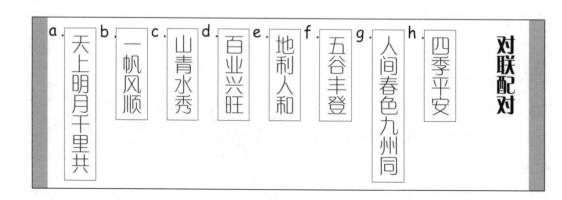

对联配对

a. 天上明月千里共
b. 一帆风顺
c. 山青水秀
d. 百业兴旺
e. 地利人和
f. 五谷丰登
g. 人间春色九州同
h. 四季平安

15 词汇扩展

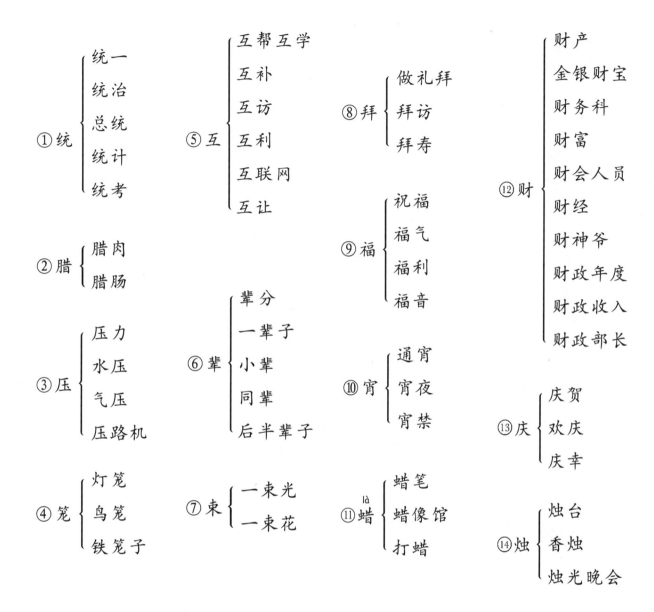

①统 { 统一 / 统治 / 总统 / 统计 / 统考 }

②腊 { 腊肉 / 腊肠 }

③压 { 压力 / 水压 / 气压 / 压路机 }

④笼 { 灯笼 / 鸟笼 / 铁笼子 }

⑤互 { 互帮互学 / 互补 / 互访 / 互利 / 互联网 / 互让 }

⑥辈 { 辈分 / 一辈子 / 小辈 / 同辈 / 后半辈子 }

⑦束 { 一束光 / 一束花 }

⑧拜 { 做礼拜 / 拜访 / 拜寿 }

⑨福 { 祝福 / 福气 / 福利 / 福音 }

⑩宵 { 通宵 / 宵夜 / 宵禁 }

⑪蜡 là { 蜡笔 / 蜡像馆 / 打蜡 }

⑫财 { 财产 / 金银财宝 / 财务科 / 财富 / 财会人员 / 财经 / 财神爷 / 财政年度 / 财政收入 / 财政部长 }

⑬庆 { 庆贺 / 欢庆 / 庆幸 }

⑭烛 { 烛台 / 香烛 / 烛光晚会 }

16 填充

1. 你管你妈妈的爸爸叫_____。

2. 你管你妈妈的妈妈叫_____。

3. 你管你爸爸的爸爸叫_____。

4. 你管你爸爸的妈妈叫_____。

5. 你管你妈妈的姐姐叫_____。

6. 你管你爸爸的弟弟叫_____。

7. 你管你妈妈的弟弟叫_____。

8. 你管你叔叔的妻子叫_____。

9. 你是你爷爷的_____。

10. 你是你外婆的_____。

17 阅读理解

　　一进入农历十二月（腊月），华人就开始为过年做准备工作了。过年的庆祝活动在正月初一达到高潮，一直到正月十五过年才算结束①。从初一到十五，每一天都包含着特殊的意思。由于②华人生活在世界各地，所以对每一天的说法不一定完全相同。以下是新加坡的华人对初一到十五的理解。

　　初一又称元旦。据说大地之母女娲从正月初一这天开始在人间造生物。她第一天造鸡，"鸡"与"吉"字发音相似，所以年初一是吉利的日子。

　　初二是"狗日"，华人在这一天外出拜年或祭拜祖先。

　　初三是"羊日"。据说这一天容易发生口角③，所以一般避免在这天去拜访④亲友。

　　初四为"猪日"，有些地方会在这一天祭财神。

　　初五为"牛日"。这一天是财神爷的生日，所以要接财神。

　　初六为"马日"。一般店铺会在这天开张⑤营业。

　　初七为"人日"，是女娲造人的日子，也可以说是众人的生日。

　　初八为"谷日"。古时候农民会在这一天祭田，希望来年⑥丰收。

　　初九是玉皇大帝的生日。玉皇大帝是中国民间⑦的神明，所以在这一天人们会举行祭天仪式，求上天保佑。

　　初十是"石头生日"。在这一天石磨不能用。

　　初十过后人们就为过元宵节而忙碌。

查字典：

1. 高潮
2. 包含
3. 相似
4. 祭拜
5. 祖先
6. 避免
7. 财神爷
8. 店铺
9. 神明
10. 仪式
11. 保佑
12. 石磨
13. 忙碌

根据上文回答下列问题：

1. 华人对初一到初十的说法为什么不统一？

2. 女娲是谁？她造的第一种生物是什么？

3. 哪天是众人的生日？

4. 新加坡人正月初几接财神？

5. "玉皇大帝"是谁？哪天是他的生日？

6. 一般店铺哪天重新开张？

选择同义词：

1. a) 完　　b) 结果　　c) 了结

2. a) 于是　　b) 因为　　c) 因此

3. a) 口水　　b) 争吵　　c) 打架

4. a) 接见　　b) 拜年　　c) 探望

5. a) 开始　　b) 张贴　　c) 结束

6. a) 今后　　b) 明年　　c) 今年

7. a) 人民　　b) 非官方　　c) 政府

18 配对

1. 鼠目寸光
2. 抱头鼠窜
3. 胆小如鼠
4. 贼眉鼠眼

a. 形容胆子很小。

b. 形容人的神情鬼鬼祟祟。

c. 形容目光短浅，只看到小处，看不到大处。

d. 形容逃跑时惊慌的样子。

19 选择填空

1. 春节前夕，家家户户_____，干干净净过新年。(扫地／大扫除／除草)

2. 如今有些家庭不赶在年前_____，因为现在买东西很方便。(办事儿／办年货／交货)

3. 正月十五闹元宵，家家户户吃_____。(糕饼／粽子／汤圆)

4. 现在人们_____的方式各种各样，有打电话、发电邮、发短信等等。

   (拜年／礼拜／拜访)

5. 中国人把阳历一月一日叫_____，外国人叫新年。(元旦／端午节／清明节)

6. 中国大陆一年有三个长假期，春节、"五一"劳动节和"十一"_____。

   (新年／国庆节／节日)

7. _____长城后，我一眼望去，长城看上去真的像一条巨龙。(跳上／登上／踢上)

8. 中国大陆把农历九月初九的_____定为"老人节"。(端午节／中秋节／重阳节)

20 语音练习

注释：形声字的发音

　　大部分汉字是形声字，也就是说一个汉字是由代表意义的形旁(偏旁部首)和代表发音的声旁合成的。合成后的字的发音跟原来的声旁的发音变化主要有三种情况：

该你了！

按照以上所说的三种情况各找一组词。

第一种情况：

第二种情况：

第三种情况：

第一种情况：
新字的元音、辅音和声调跟声旁完全相同。

① { 城市 / 柿子 }　② { 兄弟 / 传递 }　③ { 成功 / 诚实 }

第二种情况：
新字的元音、辅音跟声旁相同，但是声调不同。

① { 青菜 / 感情 }　② { 下班 / 龙虾 }　③ { 命令 / 领带 }

第三种情况：
新字的元音跟声旁相同，但是辅音和声调不同。

① { 并且 / 酒瓶 }　② { 司机 / 生词 }　③ { 交朋友 / 学校 }

21 翻译

端午节的故事

古代，楚国有一个爱国大臣叫屈原。那时候强大的秦国正准备侵占楚国，屈原忠告楚王，并提出了许多建议，但楚王不但没有听他的话，反而把他赶出了京城。屈原很伤心。他来到汨罗江边，等待楚王回心转意，可是等到的却是楚国灭亡的消息。屈原难过得吃不下饭，睡不着觉。五月初五这一天，他抱着一块大石头跳进了汨罗江自尽了。老百姓们听说后赶快划船去救他，可是连他的尸体也没有找到。为了不让鱼虾吃他的尸体，人们把米放进竹筒里，然后扔到江里，后来这就演变成了粽子。为了纪念屈原，人们把五月初五这天定为端午节。如今，人们在端午节这天吃粽子、赛龙舟，讲屈原的故事。

词语解释：

1. 大臣 minister (of a monarchy)
2. 侵占 occupy by force
3. 忠告 sincerely advise
4. 提出 put forward
5. 伤心 sad; broken-hearted
6. 回心转意 change one's mind
7. 灭亡 be destroyed
8. 消息 news
9. 自尽 commit suicide
10. 尸体 dead body
11. 演变 evolve

22 完成下列句子

1. 一进入腊月，中国人就开始为过年作准备。人们大扫除、办年货、写春联等。

2. 中国人过春节时，全家人在年三十晚上 _____

3. 大年初一，_____

4. 清明节，_____

5. 端午节，中国人 _____

6. 中秋节，中国人 _____

7. 一月一日叫元旦，中国人 _____

23 作文

写一篇关于庆祝春节的作文，内容可以包括：

- 去年你和家人是怎么过春节的，你们为过春节做了哪些准备工作
- 年夜饭吃了什么特殊食品
- 当地华人组织了哪些春节庆祝活动，你有没有参加
- 你得到了多少压岁钱，你是怎么花你的压岁钱的
- 你觉得去年的春节过得怎么样

24 《西游记》连载(一) 美猴王出世

传说很久以前,在海中有一座山,叫花果山,山顶上有一块巨石。有一天,巨石突然裂开,从中跳出来一只石猴。石猴在花果山上生活得自由自在①,饿了就采野果子吃,渴了就喝泉水,跟山里的猴子成了好朋友。有一天,他和一群猴子在小河里洗澡,看见了一个水帘洞,便一起兴奋地大喊大叫:"哪个有本事能钻进去,又能不伤着身体出来,我们就拜它为王。"石猴站出来说他要去。他眼睛一闭,用力一跳,进了水帘洞。他张开眼睛一看,洞里有石床、石桌、石凳、石碗,旁边还有花草树木。石猴满心欢喜②地跳出了水帘洞。他对众猴们说:"我为你们找到了一个好住处。"众猴们也都跟着他进了水帘洞。这时一个老猴子跳出来说:"我们刚才说好了,我们应该拜石猴为王。"众猴们立即伏倒在地上,拜石猴为王。从此,石猴成了美猴王,与众猴们高高兴兴③地生活在花果山上。后来,石猴担心他老了会死去,于是决定离开水帘洞,去找神仙学长生不老④的道法。

根据上文选择正确答案:

1. 石猴从_____里跳出来。

  a) 花果山   c) 花草树木

  b) 一块巨石   d) 泉水

2. 石猴与众猴子们_____。

  a) 经常打架

  b) 为了吃的、喝的而争吵

  c) 都想争做花果山猴王

  d) 和平相处

3. a) 石猴费了九牛二虎之力才钻进水帘洞。

  b) 石猴自告奋勇,进水帘洞逛了一圈。

  c) 老猴子自告奋勇,先钻进水帘洞去看看。

  d) 众猴们都推举石猴先进水帘洞去看看。

配对(词语解释):

1. 自由自在	a. 永远不死
2. 满心欢喜	b. 毫无拘束
3. 高高兴兴	c. 长年累月
4. 长生不老	d. 愉快而兴奋
	e. 心里充满喜悦
	f. 满不在乎

4. 众猴们拜石猴为王是因为_____。

  a) 他有本事,能毫不费力地钻进水帘洞,而不伤着身子出来

  b) 石猴为它们找到了一个家

  c) 石猴让众猴们用水帘洞里的石床和石凳

  d) 石猴能找到长生不老药

阅读(一) 梁山伯与祝英台

1 根据课文判断正误

☐ 1) 祝英台不仅相貌出众，而且还很聪明。

☐ 2) 祝英台在学校读书时一直打扮成男孩。

☐ 3) 梁山伯在学校里知道祝英台的真实身份。

☐ 4) 毕业后，祝英台的父母要把她嫁给马家的儿子。

☐ 5) 梁山伯是病死的。

☐ 6) 祝英台得知梁山伯的死后也跳河自杀了。

2 配图

1. 蚊子
2. 苍蝇
3. 蟑螂
4. 螃蟹
5. 乌贼鱼

6. 蚂蚁
7. 蜜蜂
8. 蜘蛛
9. 蛐蛐儿
10. 蜻蜓

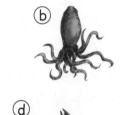 ⓐ
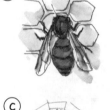 ⓑ
 ⓒ
 ⓓ
ⓔ
 ⓕ
 ⓖ
 ⓗ
 ⓘ
 ⓙ

3 词汇扩展

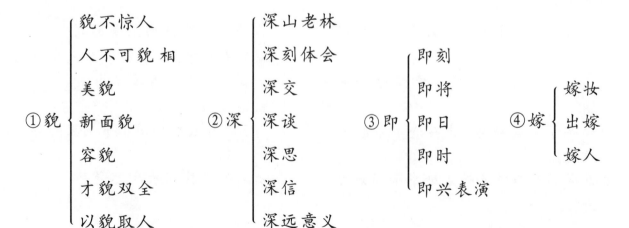

①貌
- 貌不惊人
- 人不可貌相
- 美貌
- 新面貌
- 容貌
- 才貌双全
- 以貌取人

②深
- 深山老林
- 深刻体会
- 深交
- 深谈
- 深思
- 深信
- 深远意义

③即
- 即刻
- 即将
- 即日
- 即时
- 即兴表演

④嫁
- 嫁妆
- 出嫁
- 嫁人

4 配对

1. 一本万利
2. 一本正经
3. 一表人材
4. 一目了然
5. 一毛不拔
6. 一门心思
7. 一面之交
8. 一目十行
9. 一见钟情
10. 一望无际

a. 指男女之间一见面就产生了爱慕之情。
b. 形容非常小气、自私。
c. 形容本钱小，利润大。
d. 形容交情不深。
e. 一眼看不到边。
f. 一眼就能看得清清楚楚。
g. 形容庄重、严肃，十分认真。
h. 形容人的相貌出众，有时也指品德、长相都美好的人。
i. 形容读得很粗，读得很快。
j. 形容一心一意，精神专注。

5 解释下列词语（注意带点的字）

① 立即
   既然

② 家庭
   嫁人

③ 比赛
   毕业

④ 文化
   坟墓

⑤ 机器
   哭鼻子

⑥ 皮球
   要求

⑦ 井底
   进入

⑧ 专家
   传说

6 写剧本

把《梁山伯与祝英台》改编成话剧

人物：　梁山伯、祝英台、祝英台父母

第一幕：　在祝英台家
　　　　　祝英台一定要去上学，她父母没有办法，只好把她打扮成男孩去上学。

第二幕：　在学校
　　　　　梁山伯和祝英台朝夕相处三年。

第三幕：　在祝英台家
　　　　　梁山伯上门提亲，遭到祝英台父母的拒绝。祝英台得知梁山伯生重病去世了。

第四幕：　在梁山伯坟前
　　　　　祝英台大哭，坟墓突然裂开，祝英台跳了进去。不久，一对蝴蝶从坟墓里双双飞出。

第二课　西方的传统节日

1 归类

圣诞节	
新　年	
情人节	
父亲节	
母亲节	
万圣节	
感恩节	
复活节	

圣诞树	圣诞老人	玫瑰花	兔子	巧克力	围巾	领带
电子记事本	扫帚	假面具	南瓜	糖果	土豆泥	布丁
火鸡	圣诞卡	圣诞袜	礼物	耶稣	雪橇	教堂
灯饰	蜡烛	做弥撒	彩蛋	倒数	巫师	鹿
平安夜	唱圣歌	气球				

2 完成下列句子（上网或者查其他资料）

1. 中国以茶叶、丝绸和瓷器而闻名。

2. 德国 _____

3. 法国 _____

4. 西班牙 _____

5. 英国 _____

6. 日本 _____

7. 印度 _____

8. 美国 _____

3 翻译

复活节

在欧洲和北美的一些国家，复活节是仅次于圣诞节的一个重要节日。复活节没有固定的日子，一般是在3月22日到4月25日之间的一天。

实际上，复活节是根据古老的异教徒举行的庆祝活动而来的。后来复活节演变成了一个基督教节日。耶稣在被钉死在十字架上后的第三天复活升天。为了纪念耶稣复活，基督徒庆祝复活节。像圣诞节一样，复活节的宗教色彩越来越淡漠了。现在的复活节变得很商业化，过节时少不了复活蛋、复活兔子、复活节游行等非基督教传统的活动。

孩子们特别喜欢过复活节，他们喜欢把蛋壳涂上彩画。复活节期间，西方国家都有庆祝活动，复活主日的活动是去教堂做礼拜和领取圣餐。

词语解释：

1. 固定 fixed
2. 异教徒 pagan
3. 基督徒 Christianity
4. 耶稣 Jesus
5. 钉 nail
6. 复活 resurrection
7. 宗教 religion
8. 淡漠 dim; faint
9. 蛋壳 eggshell
10. 涂 paint
11. 复活主日 Easter Sunday
12. 做礼拜 go to church
13. 圣餐 Holy Communion

4 用所给词语填空

不但……而且……

虽然……但是……

一……就……

如果……就……

只要……就……

因为……所以……

1. ＿＿＿＿＿梁山伯与祝英台同学三年，＿＿＿＿＿他一点也不知道祝英台是个女孩子。

2. 她＿＿＿＿＿才貌出众，＿＿＿＿＿心地善良。

3. ＿＿＿＿＿你对这件事一无所知，我＿＿＿＿＿从头到尾说给你听。

4. ＿＿＿＿＿过几天就是中秋节了，＿＿＿＿＿商店里挂满了各种各样的灯笼。

5. 每年＿＿＿＿＿进入十二月，大家＿＿＿＿＿开始为庆祝圣诞节做准备了。

6. ＿＿＿＿＿你努力学习、工作，你以后＿＿＿＿＿会有所成就。

5 配对

1. 牛头不对马嘴	a. 比喻说大话。
2. 牛皮大王	b. 比喻把毫不相干的事拉扯在一起。
3. 牛毛细雨	c. 比喻各种邪恶的人。
4. 牛头马面	d. 比喻非常细、非常密的雨。

6 选择填空

1. 她动听的歌声给新年晚会＿＿＿＿＿＿＿了欢乐的气氛。(增强／增添／增长)

2. 圣诞节期间，＿＿＿＿＿＿＿两旁张灯结彩，人来人往，十分热闹。(街道／逛街／上街)

3. 近几年，北京新建的一些＿＿＿＿＿＿＿，不仅有中国古典建筑的特色，又融合了西方现代建筑风格。(食品／高楼／车辆)

4. 北美人过感恩节＿＿＿＿＿＿＿吃火鸡。(少不了／少得了／不得了)

5. 为了迎接万圣节的＿＿＿＿＿＿＿，很多商店的货架上摆装了假面具、糖果及相关商品。(到达／到来／来到)

6. 新年之际，很多人都会下决心改掉以往的＿＿＿＿＿＿＿习惯，但是没有几个人能真正做得到。(不良／优良／良好)

7. 现在很多父母都望子成龙，希望子女＿＿＿＿＿＿＿有所成就。(周末／将来／来年)

8. 中国各少数民族都有其独特的＿＿＿＿＿＿＿习惯。(风俗／风味／风情)

7 语音练习（在带点的字上加拼音）

第一种情况:	第二种情况:	第三种情况:
新字的元音、辅音和声调跟声旁完全相同。	新字的元音、辅音跟声旁相同，但是声调不同。	新字的元音跟声旁相同，但是辅音和声调不同。

第一种情况:
① 占领 车站
② 工作 功课
③ 合作 饭盒

第二种情况:
① 方向 房间
② 自己 年纪
③ 北京 风景

第三种情况:
① 多少 吵闹 春卷
② 前边 剪纸 圆圈

8 用所给的字填空

情人节

每年的二月十四日是情人节。这个节＿＿＿①源自欧洲，流行＿＿＿②欧美等西方国家。如＿＿＿③，亚洲国家，特别是那里的年轻人也纷纷庆祝这个节日。这一天，相爱的人，无论是年轻的情侣还是老夫老＿＿＿④，都会＿＿＿⑤各种形式表达爱意。为了表示爱的热烈，人们＿＿＿⑥喜欢送鲜花，特别是火红的玫瑰花。那天一朵玫瑰花的价钱比平＿＿＿⑦要贵好几倍。为了表达爱的珍贵，情人之＿＿＿⑧还会送钻石首饰。为了表示爱的甜蜜，情人们还要吃糖，最受欢迎的是巧克力。情人节的礼品从图案到包装都离不开"心"型，以表示爱的忠心。

有些人＿＿＿⑨会在情人节向情人求婚。＿＿＿⑩有人乘此机会用特殊的方式表达爱慕之心，比如他们会在报纸上刊登一段告白，倾吐＿＿＿⑪情人的爱，有人会在轻气球上挂一幅字条，上面写＿＿＿⑫"我爱你！"等甜言蜜语。

查字典：
1. 源自
2. 纷纷
3. 情侣
4. 热烈
5. 玫瑰
6. 倍
7. 珍贵
8. 钻石
9. 首饰
10. 甜蜜
11. 包装
12. 型
13. 爱慕
14. 刊登
15. 倾吐

时	于	间	妻	还	对	日	以	更	着	今	都

9 把以下"把"字句改成"被"字句

例子：妹妹把我们的压岁钱全借走了。 →我们的压岁钱全被妹妹借走了。

1. 我们把圣诞树装饰得非常漂亮。 →

2. 弟弟把布丁全吃了。 →

3. 爸爸把筷子折断了。 →

4. 三个和尚把火扑灭了。 →

5. 狼差点儿把东郭先生吃掉。 →

6. 阿凡提把皇帝气得要死。 →

10 词汇扩展

① 诞 { 诞生
       诞生地

② 异 { 同母异父
       优异
       奇装异服
       差异
       异国他乡
       异口同声
       同床异梦
       异想天开

③ 恩 { 报恩
       开恩
       谢恩
       恩情
       恩人
       恩爱
       恩重如山

④ 增 { 增加
       增多
       增大
       增进
       增强
       增色
       增长

⑤ 待 { 等待
       以礼相待
       待业
       待遇
       待人接物
       待续
       对待

⑥ 聚 { 聚会
       欢聚
       聚餐
       聚集
       聚居

⑦ 松 { 松树
       松手
       松口
       松散
       松鼠
       松子

⑧ 摆 { 摆放
       摆动
       摆架子
       摆脱
       摇摆

⑨ 尽 { 尽量
       尽力而为
       尽善尽美
       尽收眼底
       尽头
       尽心
       尽义务
       应有尽有
       一网打尽

⑩ 未 { 未必
       未婚
       未婚夫
       未婚妻
       未知数

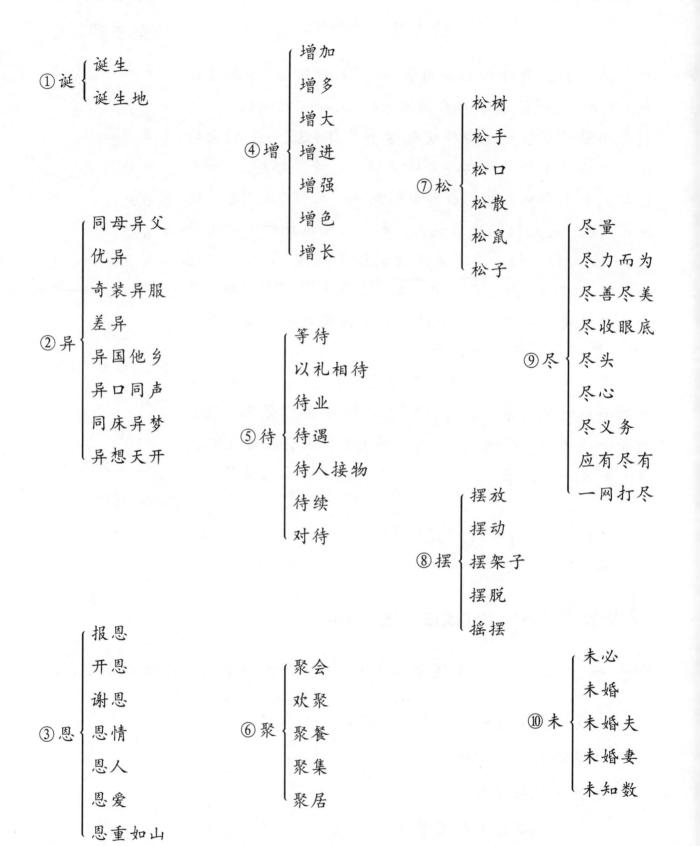

11 阅读理解

圣诞老人

每年的十二月二十五日是圣诞节。这个日子据说是耶稣的诞生日，现在它早已变成了一个世界性的大众节日。年纪小一点的孩子更相信每年的这个时候便会有一位头戴红色的圣诞帽、身穿红衣裤、脚穿红袜子、留着白胡子、乘着鹿拉雪橇的圣诞老人会挨家挨户地送礼物。

传说1,500年前，有一位真正的圣诞老人，他就是荷兰的尼古拉斯。他是一个主教，非常善良，乐于助人，尤其是帮助那些生病及有需要的人士。因为有几次他出人意料地解救了处于困境的人，所以后来人们称他为圣人，并叫他圣·尼古拉斯。

圣·尼古拉斯最喜爱儿童，特别是那些乖孩子。为了让他们高兴，他总会给他们特别的礼物。18世纪，荷兰传教士把这个慈善家的故事传到了美国，渐渐地传遍了世界各地。

平安夜，孩子们总会把色彩缤纷的圣诞袜挂在床头，盼望着圣诞老人给他们送来心爱的礼物。

查字典：

1. 大众
2. 雪橇
3. 挨家挨户
4. 荷兰
5. 主教
6. 人士
7. 出人意料
8. 解救
9. 处于
10. 困境
11. 乖
12. 慈善
13. 平安夜
14. 色彩缤纷
15. 盼望

根据上文回答下列问题：

1. 圣诞老人的打扮是怎样的？

2. 圣诞老人乘坐什么交通工具访问千家万户？

3. 传说中的圣诞老人叫什么名字？他是个什么样的人？

4. 圣·尼古拉斯是怎样奖赏乖孩子的？

5. 圣·尼古拉斯的故事是怎样传到美国及世界各地的？

6. 圣诞老人一般何时派发礼物？

12 续作

今年圣诞节我收到了一份礼物。我不知道是谁送给我的。我打开一看，里面_____

_____

这份礼物对我来说很特别，因为_____

_____

13 翻译(注意带点的字)

1. 在新年之际，我祝大家身体健康、万事如意。

2. 人人都说奥地利的维也纳是音乐之都。

3. 中国的江南一带自古以来就是鱼米之乡。

4. 考试之前，我希望各位同学认真复习功课。

5. 手术之后，他在家休养了一个月，现在已经上班了。

6. 中国人口占世界人口总数的五分之一。

7. 他能考上哈佛大学是意料之中的事。

8. 同学之间要互相关心，互相帮助。

9. 这包裹能在一周之内寄到。

10. 总之，住在城市里有很多好处，但也有不少坏处。

14 用所给词语填空

| 世界各地 |
| 各族人民 |
| 各行各业 |
| 各个 |
| 各式各样 |
| 各种各样 |
| 各就各位 |
| 各自 |

1. 春节期间＿＿＿＿＿＿的华人都举行庆祝活动。

2. 请大家看管好＿＿＿＿＿＿的行李，然后排队办理登机手续。

3. 这家商店卖＿＿＿＿＿＿的卡片。

4. 近二十年来，中国＿＿＿＿＿＿的生活水平都有所提高。

5. 如今，服装店里的衣服真是五花八门，＿＿＿＿＿＿。

6. 圣诞节前夕，＿＿＿＿＿＿商店都会花尽心思吸引顾客来购物。

15 组词

1. 欢迎 → <u>迎接</u>

2. 装饰 → ＿＿＿＿＿＿

3. 到处 → ＿＿＿＿＿＿

4. 感觉 → ＿＿＿＿＿＿

5. 星期 → ＿＿＿＿＿＿

6. ＿＿＿＿＿＿ → 聚会

7. ＿＿＿＿＿＿ → 对不起

8. ＿＿＿＿＿＿ → 数学

9. 坚决 → ＿＿＿＿＿＿

10. 修改 → ＿＿＿＿＿＿

11. 变成 → ＿＿＿＿＿＿

12. 碗橱 → ＿＿＿＿＿＿

13. 心思 → ＿＿＿＿＿＿

14. 上街 → ＿＿＿＿＿＿

15. ＿＿＿＿＿＿ → 祝福

16. 身体 → ＿＿＿＿＿＿

16 阅读理解

万圣节

万圣节原来①也是个宗教节日，但流传到今天已经失去了宗教色彩②，而成了一个孩子们的节日，年轻人也会在这一天开化装派对。

万圣节又叫"鬼节"或"南瓜节"。在每年的十月三十一日万圣节到来之前，商店都会出售③鬼怪形的食品、糖果、服装及面具等。到万圣节这天晚上，人们把南瓜掏空，刻出眼睛、鼻子和嘴巴，然后在里面点燃蜡烛，放在大门口。天黑后，小孩子们穿上鬼怪的服装，戴上假面具，有的则画上脸谱，有的手里还拿着巫师的扫帚，挨家挨户敲门、讨糖。孩子们口中说着："要恶作剧还是要好招待？"主人们一定④会笑脸相迎，把糖果分发⑤给孩子们。有的孩子一晚上能讨到一大袋糖，可以吃上几个月。

一些年轻人则在这一天开化装派对。他们戴着面具、穿着鬼服，有的还扮成巫婆，有的则扮成稻草人、僵尸、海盗等，千奇百怪，让人看上去觉得毛骨悚然。年轻人尽情作乐，一直可以闹到次日⑥清晨。

查字典：

1. 失去
2. 掏空
3. 点燃
4. 假面具
5. 巫师
6. 扫帚
7. 敲门
8. 讨
9. 恶作剧
10. 招待
11. 扮成
12. 稻草
13. 僵尸
14. 海盗
15. 毛骨悚然
16. 作乐

选择同义词：

1. a) 后来　b) 起初　c) 未来　　4. a) 肯定　b) 可能　c) 应该
2. a) 意义　b) 彩色　c) 颜色　　5. a) 分散　b) 分派　c) 分头
3. a) 购　　b) 买　　c) 卖　　　6. a) 今天　b) 前天　c) 第二天

17 作文

以往的毕业生派对参加人数很少，原因是派对的地点不合适、晚餐不好、花费大、活动安排得也不好。今年你是学生会主席，你将组织今年的毕业生派对。为了使今年的派对成功，你要决定：

－派对的主题　　　－派对的地点　　　－晚餐及饮品
－服装要求　　　　－最低消费　　　　－演出内容及其他活动安排

18 解释下列词语(注意带点的字)

① { 教室 / 至少 } ② { 分寸 / 气氛 } ③ { 开公轻松 } ④ { 周末 / 未来 }

⑤ { 挺好 / 圣诞节 } ⑥ { 小偷 / 愉快 } ⑦ { 导游 / 异常 } ⑧ { 厨房 / 橱窗 }

19 造句

1. 至少 _____

2. 气氛 _____

3. 愉快 _____

4. 期待 _____

5. 利用 _____

6. 最多 _____

7. 到处 _____

8. 异常 _____

20 找反义词

1. 冷淡 _____   8. 冰凉 _____
2. 困难 _____   9. 操心 _____
3. 团聚 _____   10. 长远 _____
4. 内陆 _____   11. 单独 _____
5. 外向 _____   12. 粗心 _____
6. 笨重 _____   13. 次要 _____
7. 被动 _____   14. 出发 _____

轻巧	热情	火热	离别
主动	放心	细心	眼前
容易	联合	主要	沿海
内向	到达		

21 完成下列句子

1. 西方人过圣诞节,少不了吃<u>火鸡</u>、

2. 中国人过春节,少不了_____
_____

3. 西式婚礼上,少不了_____
_____

4. 过情人节,少不了_____
_____

5. 孩子们过万圣节,少不了_____
_____

6. 过圣诞节,家里少不了_____
_____

22 阅读理解

感恩节

在美国，每年11月份的最后一个星期四是感恩节。它是美国人一年中最重要的节日之一。这一天，人们合家团聚，共享丰盛的晚餐。

1620年，从英国来的第一批移民历经几个月的惊险航行后，终于①在美国东海岸登陆。当地的土著印第安人以礼相待，允许并帮助他们捕鱼、耕地、筑屋、饲养火鸡。一年后，这批新移民迎来了第一个丰收年。为了感谢热情好客②的印第安人，为了庆祝丰收，他们举行了感恩宴会。在宴会上，新移民与印第安人尽情地跳舞、唱歌，还举行摔跤和射箭比赛。1863年，林肯总统把感恩节定为公众假日。1941年，美国国会把感恩节定在现在的日子。这天，美国人不管在哪里工作、学习，都会尽量③赶回家与家人团聚。

感恩节那天的大餐少不了火鸡、南瓜饼和土豆泥。火鸡肚里一般放核桃仁、玉米粒、香肠、洋葱、葡萄干等。

感恩节这天，有些城市还会举行化装④游行。游行队伍⑤中会有乐队、舞蹈队，还有很多化装成各种动物的滑稽⑥小丑，气氛十分热闹。如今，不仅美国人过感恩节，加拿大人也过，可能是因为加拿大也有很多英国移民的后裔⑦吧!

查字典:

1. 共享
2. 丰盛
3. 批
4. 历经
5. 惊险
6. 航行
7. 登陆
8. 印第安人
9. 以礼相待
10. 允许
11. 捕鱼
12. 耕地
13. 屋
14. 饲养
15. 宴会
16. 摔跤
17. 射箭
18. 总统
19. 核桃仁
20. 粒

配对(词语解释):

1. 终于	a. 达到最大限度
2. 热情好客	b. 最后
3. 尽量	c. 有组织的群众行列
4. 化装	d. 穿上节日的服装
5. 队伍	e. 滑来滑去
6. 滑稽	f. 以热烈的感情来招待客人
7. 后裔	g. 已经死去的人的子孙
	h. 引人发笑
	i. 假扮

23 《西游记》连载(二) 三星洞学道

美猴王独自一个人<u>跋山涉水</u>①找了八、九年，一直找不到神仙。有一天，他来到了一座山上的一个三星洞。洞里住着一个神仙，叫菩提祖师，他道行高、仙术灵。祖师见美猴王是来学艺求道的，便收他为徒弟。

祖师见美猴王走路像猢狲(也就是猴子)，便对他说："我给你取个名字吧！我从你身上取一个姓——'孙'，你是我'悟'字辈的徒弟，那么我就叫你孙悟空吧。"石猴非常感谢祖师给他取名，因为他本来就没有姓名。

<u>不知不觉</u>②地，孙悟空跟祖师及众徒弟们生活了六、七年。悟空干活很<u>卖力气</u>③，但就是静不下心来学道。祖师觉得悟空跟其他徒弟不一样，就决定教他一些道术。悟空聪明<u>机灵</u>④，一下子就把祖师<u>传授</u>⑤给他的长生不老<u>秘诀</u>⑥、驾云秘诀和七十二变招数全学会了。

悟空有了本事后，喜欢在众徒弟面前表现自己。祖师得知后，觉得悟空不<u>稳重</u>⑦，决定叫他离开三星洞。悟空告别了师父，便驾云飞回了花果山。

根据上文选择正确答案：

1. 菩提祖师是个_____。

  a) 有很多学生的教授

  b) 道行高、仙术灵的神仙

  c) 武功师傅　　d) 不平凡的人

2. a) 菩提祖师不肯收美猴王为徒弟，因为他没有名字。

  b) 孙悟空给自己取了个名。

  c) 菩提祖师的徒弟都姓"孙"。

  d) 孙悟空成了菩提祖师"悟"字辈的徒弟。

3. a) 孙悟空在三星洞苦干了十几年的活，什么也没有学到。

  b) 孙悟空能静下来跟徒弟们一起学道。

  c) 在三星洞的徒弟们都会七十二变招术。

  d) 由于孙悟空机智伶俐，所以祖师决定教他一些秘诀。

4. 悟空离开三星洞的原因是_____。

  a) 悟空认为他已经学到了他想学的东西

  b) 菩提祖师不让悟空在三星洞呆下去

  c) 徒弟们觉得悟空不稳重，会影响他们的修练

  d) 菩提祖师不想让其他徒弟知道只有悟空会七十二变招数

配对(词语解释)：

1. 跋山涉水	a. 没有意识到
2. 不知不觉	b. 把学问、技术教给别人
3. 卖力气	c. 沉着而有分寸
4. 机灵	d. 经历曲折、艰难
5. 传授	e. 伶俐、机智
6. 秘诀	f. 尽量使出自己的力量
7. 稳重	g. 能解决问题的不公开的巧妙方法

阅读(二) 牛郎织女

1 根据课文判断正误

□ 1) 牛郎没有父母。

□ 2) 织女是仙女。

□ 3) 牛郎、织女结婚后没有子女。

□ 4) 牛郎乘搭牛车上天去见织女。

□ 5) 王母娘娘最初不想让牛郎、织女在天上见面。

□ 6) 牛郎、织女的爱情感动了喜鹊和王母娘娘。

□ 7) 牛郎、织女每年相见七次。

2 配图

1. 玫瑰

2. 百合

3. 牡丹

4. 梅花

5. 兰花

6. 菊花

7. 向日葵

8. 水仙

9. 郁金香

10. 康乃馨

3 配对

1. 两全其美

2. 一心不可二用

3. 两耳不闻窗外事

4. 两面三刀

a. 做一件事能照顾到两个方面,使两方面都得到好处。

b. 比喻当面一套,背后一套,耍弄两面派手法。

c. 做事要专心,不可分心。

d. 一心钻研业务,对外面发生的任何事情都不关心。

4 作文

写一篇你所知道的爱情故事,例如《罗密欧与朱莉叶》,内容必须包括:

- 这个故事的主人公是谁
- 这个故事发生在何时何地
- 故事的主要情节怎样
- 故事的结局如何

5 词汇扩展

①群 { 人群 / 群居 / 群山 / 群体 / 群众

③返 { 重返 / 往返 / 返工 / 返航 / 返老还童 / 返校

⑤幸 { 幸好 / 幸存 / 幸运 / 不幸

⑦搭 { 搭车 / 搭乘 / 搭话 / 搭建 / 搭售

②孤 { 孤独 / 孤立 / 孤身一人 / 孤单

④仙 { 仙人 / 仙境 / 神仙 / 成仙 / 天仙

⑥娘 { 新娘 / 亲娘 / 后娘 / 娘家

⑧郎 { 新郎 / 郎才女貌

6 解释下列词语(注意带点的字)

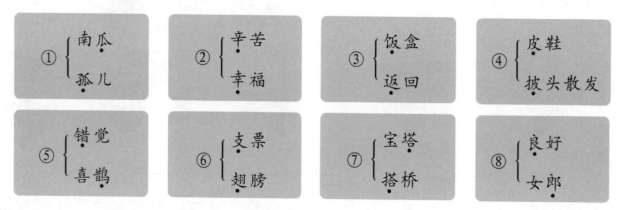

① { 南瓜 / 孤儿

② { 辛苦 / 幸福

③ { 饭盒 / 返回

④ { 皮鞋 / 披头散发

⑤ { 错觉 / 喜鹊

⑥ { 支票 / 翅膀

⑦ { 宝塔 / 搭桥

⑧ { 良好 / 女郎

7 把括号中的连词放在句子里适当的位置上

1. 春节、端午节、中秋节都是中国人的传统节日。(和)

2. 圣诞节、复活节对西方人来说都很重要。(同)

3. 后来牛郎跟织女结了婚，生了一儿一女。(并)

4. 这座庙里有锅、勺、水桶。(及)

5. 你可以管妈妈的妈妈叫姥姥／外婆。(或者)

6. 你想打球／下棋吗？(还是)

7. 他是一个聪明、刻苦的好孩子。(而)

8. 叔叔、婶婶每年春节都给我买新衣服。(跟)

第三课　社交用语及礼仪

1 配对

1. 请问，现在几点了？
2. 借你的笔用一下，好吗？
3. 劳驾，有打火机吗？
4. 我帮你寄这封信吧！
5. 请问，有没有零钱？
6. 能借用一下你的手机吗？
7. 请问，去地铁站怎么走？
8. 请问，洗手间在哪儿？

a. 太感谢了！
b. 别提多倒霉了，我刚买的手机昨天弄丢了。
c. 刚好六点半。
d. 对不起，我不抽烟。
e. 抱歉，我也是游客，我不知道怎么走。
f. 没问题，用完了放在桌上就行了。
g. 可能有吧！你要多少？
h. 在二楼，右手边。

2 阅读理解

香港人说粤语。在粤语里有些字的发音跟一些禁忌语很相似，所以了解香港人的禁忌语可以避免发生尴尬局面。

如果有人生病，你想送花，千万别送"剑兰"花，因为"剑兰"与"见难"(今后很难再见面的意思)发音相似。如果你送花给一个商人，绝对不能送"茉莉"花，因为"茉莉"与"末利"(也就是没有利润)发音相似。"梅花"与"倒霉"的"霉"字同音，所以不能送"梅花"给友人。

香港人对数字也很迷信。他们喜欢用"八"字，因为"八"与"发财"的"发"字谐音，所以他们的车牌、门牌号码、电话号码等都喜欢用"八"这个数字。香港人非常忌讳用"四"字，"十四"就更不好，因为"四"与"死"相近，而"十四"与"实死"谐音，所以在香港、广东一带，医院里没有四号病房，公共汽车没有四路，汽车牌号不用"四"字，有些大厦没有四楼及十四楼，送礼也忌送四种。在粤语里，"三"谐"生"、"六"谐"禄"、"七"谐"实"、"九"谐"久"。

按照谐音的规律，猜一猜以下两组数字及物品的意思。

1. 三三八八
2. 七八七八
3. 生菜(过年时家家吃)
4. 百合花(过年、结婚时送)

查字典：

1. 禁忌
2. 尴尬
3. 剑兰
4. 绝对
5. 茉莉
6. 利润
7. 梅花
8. 迷信
9. 谐音
10. 禄
11. 按照

3 以下句子适合哪种场合

| 1.结婚祝贺 | 2.邀请 | 3.感谢 | 4.道歉 | 5.新年祝贺 |

6.祝贺生日

7.祝早日康复

a. 请接受我节日的问候。

b. 在新年到来之际，祝健康、愉快！

c. 祝生日快乐！

d. 希望你看到信时，病已经好了。

e. 希望你安心养病，好好休息。

f. 非常感谢你邀请我们吃饭。这是我第一次吃到地道的法国菜，印象极深。

g. 多谢你寄来的礼物，我非常喜欢。这条连衣裙正是我想买的，你真有眼光！

h. 很感谢你邀请我看演出，但我那天已有安排，很抱歉。

i. 中秋节我们准备组织一个烧烤聚会。如果有时间，你也来吧！

j. 很遗憾，我不能参加你们的结婚纪念派对。

k. 很抱歉，我不能接受你的邀请。

l. 请原谅我未能及时给你回信。

m. 祝你生日那天玩得痛快！

n. 圣诞节我们会组织一个派对。如果你没有别的安排，就来玩吧！

4 解释下列词语(注意带点的字)

① 豆浆 / 将来

② 高山 / 神仙

③ 每天 / 倒霉

④ 反面 / 返回

⑤ 书包 / 抱歉

⑥ 裙子 / 羊群

⑦ 喜鹊 / 租借

⑧ 羽毛球 / 翅膀

⑨ 尺子 / 迟到

⑩ 恐怕 / 建筑

⑪ 遗憾 / 感觉

⑫ 原谅 / 惊喜

5 翻译

中国婚俗

中国人结婚有很多讲究。新房布置首先要有新床，床上有一对龙凤枕头，一条龙凤被，新房门外要贴一个红双喜字——"囍"，有的门外还贴结婚对联。在婚宴场地也贴上龙凤图案及双喜字，其他装饰物还有气球、丝带等。接新娘的花车一般用鲜花或丝带作装饰。

婚宴上会有很多活动，比如新郎、新娘要喝交杯酒，他们还要为在座的亲戚朋友一一敬酒。新人往往还要讲他们当初恋爱的故事。

中国人赠予新人的祝贺语通常有"白头偕老"、"夫妻恩爱"等。

词语解释：

1. 布置 arrange

2. 枕头 pillow

3. 敬酒 propose a toast

4. 赠予 present; donate

5. 白头偕老 live together to a ripe old age

作文：

描写你参加过的一个西式婚礼的过程。

参考词语：

结婚登记处	布置	装饰	酒会	送礼	拍照	结婚戒指
牧师	新郎	新娘	伴郎	伴娘	教堂	结婚蛋糕
摄像	举行	邀请	发誓	鲜花	相册	订做礼服

6 解释下列短语

1) 美满婚姻　6) 月下老人　11) 找对象　16) 红娘　21) 喜封　26) 爱情　31) 热恋

2) 终身大事　7) 办喜事　12) 谈恋爱　17) 嫁妆　12) 婚礼　27) 洞房　32) 配偶

3) 郎才女貌　8) 喝喜酒　13) 第三者　18) 婚纱　23) 媒人　28) 离婚　33) 情书

4) 门当户对　9) 吃喜糖　14) 心上人　19) 喜贴　24) 亲家　29) 爱人　34) 娘家

5) 百年偕老　10) 度蜜月　15) 拜天地　20) 喜联　25) 订婚　30) 甜心　35) 婆家

7 根据谐音的规则猜猜看

1. 结婚送"筷子"是什么意思？

2. 为什么结婚送礼不能送"伞"？

8 配对

1. 虎口余生	a. 形容吃东西又猛又急的样子。
2. 虎口拔牙	b. 比喻做事遇到困难，但又不得不继续做下去。
3. 照猫画虎	c. 比喻经历了极大的危险，侥幸保存了性命。
4. 老虎屁股摸不得	d. 比喻增添了力量，比原来更强大。
5. 狼吞虎咽	e. 比喻只是从形式上模仿，实际上并不理解。
6. 骑虎难下	f. 形容一听到别人提意见就暴跳如雷或进行反击。
7. 如虎添翼	g. 比喻深入危险的地方除掉有害的人或东西。

9 偏旁部首与汉字

注释: 偏旁部首与形声字的意思
绝大部分形声字的意思与它的偏旁部首的意义紧密相关。

偏旁	读法	意义	写出以下字的意思			
艹	草字头	多与植物有关	花 菜	苗 莓	药 萝	苦 茶
火 灬	火字旁	多与火有关	烛 热	烤 煮	烧 煎	炒 蒸
衤	衣字旁	多与衣、布有关	袖 裙	衫 被	裤 袜	衬 补
月	月字部	①多与时间、光亮有关 ②多与身体有关	明 肚	期 肤	朝 肠	望 胖
厂	厂字边	多与居位、山石有关	厅	厦	厕	厨

10 找反义词

1. 吃力＿＿＿＿＿
2. 冲动＿＿＿＿＿
3. 肯定＿＿＿＿＿
4. 分散＿＿＿＿＿
5. 单一＿＿＿＿＿
6. 增加＿＿＿＿＿
7. 和平＿＿＿＿＿
8. 后来＿＿＿＿＿
9. 合作＿＿＿＿＿
10. 古老＿＿＿＿＿
11. 公用＿＿＿＿＿
12. 平凡＿＿＿＿＿

冷静	集中	战争	否定
繁多	减少	省力	起初
时新	专用	单干	伟大

11 阅读理解

欧洲结婚风俗

欧洲人的婚俗源于古罗马时代。当时的人们为了使婚姻神圣化，男女互送指环作为婚姻信物，这种指环后来发展成"戒指"。结婚戒指一般都戴在左手的无名指上，因为当时人们相信左手无名指上有一条静脉直通心脏，可以表示爱情的真挚。

欧洲人把新婚的第一个月叫"蜜月"。这种说法源自于6世纪初的一个民间故事。传说在爱尔兰有一个首领的女儿叫爱丽丝，长得非常漂亮。邻国的一个王子带上爱丽丝喜欢吃的蜂蜜来向她求婚。后来在婚礼上，又用蜂蜜酿成的酒招待了所有来宾，剩下的蜜酒他们俩喝了一个月。从那以后，当地人结婚时都要喝蜜酒，并且把新婚的第一个月叫"蜜月"。现在在欧洲，新婚夫妇一般都要外出度"蜜月"。

欧洲人的婚礼一般在教堂里举行。男的穿黑色的礼服，女的穿白色婚纱。在教堂，神父或牧师为新郎、新娘主持婚礼，并为他们祈祷祝福。

查字典：

1. 神圣
2. 指环
3. 静脉
4. 心脏
5. 真挚
6. 蜂蜜
7. 酿成
8. 来宾
9. 牧师
10. 祈祷

根据上文选择填空：

1. 罗马时期，男女结婚要互送_____。

 a) 耳环　　b) 指环　　c) 金环　　d) 玉环

2. 结婚戒指一般戴在_____上。

 a) 左手小指　　b) 右手食指　　c) 左手无名指　　d) 右手中指

3. 如今，新婚夫妇度"蜜月"就是_____。

 a) 喝一个月的蜜酒　　c) 去有蜜蜂的地方度假

 b) 吃一个月的蜜糖　　d) 去度假

4. 欧洲人结婚时，_____。

 a) 男、女都穿黑色礼服

 b) 新郎新娘都穿白礼服

 c) 新郎穿白礼服，新娘穿黑礼服

 d) 男的穿黑礼服，女的穿白色婚纱

31

12 翻译

忌讳的数字

欧洲一些国家的人非常忌讳"13"这个数字。他们认为这个数字不吉利，会给人带来厄运。因为耶稣被钉在十字架前夕吃的最后一顿晚餐上共有十二个信徒，加上他自己共十三个人，所以人们尽量避开"13"这个数字。如果请客吃饭，一桌不能坐十三个人，不能点十三道菜。

大楼一般不设第十三层，旅馆没有十三号房间。如果十三号遇上星期五，那就被叫作"黑色星期五"，被一些人认为是个非常不吉利的日子。

从文中找出同义词：

1. 十分 ＿＿＿＿＿＿＿＿
2. 觉得 ＿＿＿＿＿＿＿＿
3. 之前 ＿＿＿＿＿＿＿＿
4. 弟子 ＿＿＿＿＿＿＿＿
5. 想方设法 ＿＿＿＿＿＿
6. 通常 ＿＿＿＿＿＿＿＿
7. 酒店 ＿＿＿＿＿＿＿＿
8. 要是 ＿＿＿＿＿＿＿＿

13 用所给词语填空

对不起
失望
没关系
不客气
多谢
遗憾
原谅
恐怕
抱歉
拜托

1. 这件事全指望你帮忙了，＿＿＿＿＿＿＿＿＿了！
2. 程老师，实在 ＿＿＿＿＿＿＿＿，我又迟到了。
3. 还是查一下字典吧，我 ＿＿＿＿＿＿＿会拼错这个字。
4. 今天的菜上得有点慢，非常 ＿＿＿＿＿＿＿。
5. 本博物馆今日休息。不便之处，请多多 ＿＿＿＿＿＿＿。
6. 这次没能参观伦敦塔桥，真是 ＿＿＿＿＿＿＿。
7. 当听说楚国被秦国占领后，屈原感到很 ＿＿＿＿＿＿＿。
8. A: 对不起，我忘了带傻瓜相机。
   B: ＿＿＿＿＿＿＿＿！
9. A: 谢谢你的摄像机。
   B: ＿＿＿＿＿＿＿。
10. ＿＿＿＿＿＿＿你买圣诞礼物给我。

14 造句

1. 将
2. 恐怕
3. 不巧
4. 失望

5. 呆
6. 拍照
7. 举行
8. 邀请

15 阅读理解

难忘的十八岁生日派对

我的十八岁生日派对可<u>算得上</u>①是最<u>倒霉</u>②的一次生日派对。我父母和我邀请了三十几个亲戚和朋友来庆祝我的生日。那天我穿了一件拖到地上的紫红色晚礼服和一双新的高跟皮鞋，这些是母亲送给我的生日礼物。<u>没想到</u>③那双鞋因第一天穿，有点儿紧。我一晚上走路都不舒服，再加上礼服太长，我<u>生怕</u>④自己踩到裙子摔倒。朋友们<u>纷纷</u>⑤<u>抢</u>着跟我<u>合影</u>⑥，一不小心我果真踩住了裙沿。为了不使自己跌倒，我一把抓住了一张桌子上的桌布，用力一拉，把桌子上的碗、碟、酒杯都扯到了地上。当时全场的人都吓了一跳。我真是 丑态百出 ，不知道说什么才好。幸好父母赶紧走过来安慰我，我才摆脱了困境。可是 祸不单行 ，我一时口渴，把葡萄酒当成了饮料喝下去，<u>不一会儿</u>⑦我就觉得 头晕目眩 ，只能暂时离场。

没想到我盼望已久的十八岁生日派对竟<u>如此</u>⑧"难忘"，真让我 哭笑不得 。

查字典：

1. 拖

2. 踩

3. 抢

4. 跌

5. 扯

6. 摆脱

猜一猜：

1. 丑态百出

2. 祸不单行

3. 头晕目眩

4. 哭笑不得

写出以下词语的同义词：

1. 算得上 ＿＿＿＿＿＿＿　　5. 纷纷＿＿＿＿＿＿＿

2. 倒霉 ＿＿＿＿＿＿＿　　6. 合影＿＿＿＿＿＿＿

3. 没想到 ＿＿＿＿＿＿＿　　7. 不一会儿＿＿＿＿＿

4. 生怕 ＿＿＿＿＿＿＿　　8. 如此＿＿＿＿＿＿＿

16 作文

① 你参加过的难忘的派对或婚礼。

② 设计一个难忘的生日派对或新年派对。

17 词汇扩展

① 将
将错就错
将功补过
将计就计
将心比心
将来
将要
将近

② 遗
遗失
遗产
遗传
遗留
遗体
遗容
遗忘
遗址

③ 抱
抱病工作
抱不平
抱成一团
抱佛脚
抱头痛哭

④ 丢
丢脸
丢丑
丢掉
丢失

⑤ 托
衬托
托儿所
托福考试
托盘
托运

⑥ 恐
恐龙
惊恐

⑦ 呆
书呆子
呆头呆脑

⑧ 摄
拍摄
摄取
摄影室

⑨ 惊
大惊小怪
大吃一惊
一鸣惊人
惊呆
惊天动地

⑩ 谅
谅解
体谅

⑪ 拍
球拍
拍手
拍打
拍卖
拍戏
打拍子

⑫ 仪
地球仪
司仪
仪表
仪器
仪式

⑬ 霉
发霉
霉雨天

18 翻译（注意带点的字）

注释:
"多"用在感叹句里，表示程度很高。

1. 今天气温只有五度，他没有穿大衣，多冷啊！
2. 你看这个灯笼，多好看！
3. 祝英台得知梁山伯死后，心里多痛苦啊！
4. 看他弹钢琴，多轻松啊！
5. 今天你就别做饺子了，多麻烦啊！
6. 你看这只小狗，多可爱！
7. 这场雨下得多及时啊！
8. 他第一次开车上路就出了车祸，多倒霉啊！
9. 她女儿不能来参加他们的结婚纪念派对，她多失望啊！
10. 你看这个小姑娘，大眼睛、黑头发，长得多漂亮啊！

34

19 阅读理解并翻译

祝 寿

祝寿，也叫贺寿、做寿、庆寿。中国各地的民众都有祝寿的习俗，有的地方从四十岁开始祝寿，但大多把六十岁作为祝寿的起点。六十岁又称"花甲"之年。

每逢老人六十大寿之日，亲朋好友都要为老人祝寿、祝福。祝寿有很多讲究：要吃"长寿面"。庆寿面条一般做得很长，因为"长"有"长寿"的意思，老人吃了"长寿面"，就表示吉祥、长寿了。还有，大寿这天，亲朋好友送礼物，礼物上一般有"寿"字，有寿蛋、寿糖、寿糕等。给人祝寿时，有几点要切记：送东西的数量不能是四个，因为"四"同"死"发音很接近，中国人很忌讳。再有，不能送"钟"，因为"钟"跟"终"是谐音，"送终"是举行葬礼、办丧事的意思。

查字典：

1. 花甲
2. 逢
3. 切记
4. 忌讳
5. 送终
6. 葬礼
7. 丧事

造句：

1. 开始　庆祝
2. 讲究　婚礼
3. 表示　意思
4. 国家　风俗习惯

根据上文判断正误：

☐ 1) 中国人一般不在四十岁到六十岁之间祝寿。

☐ 2) 花甲之年的老人指的是六十岁的老人。

☐ 3) 送祝寿礼时可以送四个寿蛋。

☐ 4) 给老人祝寿时不能送钟。

☐ 5) 中国人过生日时吃面条表示长寿的意思。

20 改写句子

> "快（要）……了" (soon, be about to)

例子: 冬天到 → 冬天快到了。

1. 祝英台毕业 →
2. 复活节到 →
3. 庆祝会结束 →
4. 老牛死 →
5. 周树青过生日 →
6. 仗打完 →
7. 晚饭做好 →
8. 飞机起飞 →

21 读一读，写一写

1

亲爱的张先生、张太太：

　　这次日本之行，多谢你们全家对我们的热情款待，给你们添了不少麻烦。我和孩子们都对此行留下了美好的印象。下次你们如果有机会来北京，我们一定会尽力让你们玩得开心！

　　再次感谢你们全家。

王新
8月19日

2

小龙：

　　听说你和女朋友订婚了，真为你高兴！祝贺你！

　　祝你们愉快！

小张
10月20日

3

李英：

　　听说你刚毕业就找到了一份称心的工作，真为你高兴！祝贺你！

　　祝你工作顺利！

小红
4月9日

4

亲爱的小孙：

　　感谢你特意为我们准备的丰盛晚餐，真让我们大饱眼福、口福。说实在的，很久没有吃到那么可口的家乡菜了！再次感谢你！

程英华
2月3日

5

尊敬的李老师：

　　实在对不起，我今天又迟到了，而且还在英语课上睡觉。从下星期开始，我决心改掉晚睡的坏习惯，争取每天早上准时到校，上课专心听讲。请老师再给我一次机会，看我的实际行动吧！我一定不会让你失望的。

学生：李明
5月10日

6

陈先生：

　　圣诞快乐！新年好！在新的一年到来之际，祝你及全家身体健康，万事如意！

孔元元
12月15日

该你了！

① 　　昨天开生日派对时，你向叶青借了一部摄像机。现在你要把摄像机还给她，写一张感谢卡。

② 　　你从苗红那里借了一部数码相机，结果不小心弄丢了。你写一封道歉信，并提出怎样处理这件事。

③ 　　你得知你的好朋友马俊考进了牛津大学，写一张祝贺卡。

22 《西游记》连载(三)　悟空获金箍棒

　　孙悟空回到花果山后，开始教猴子们练武功。猴子们用的兵器有刀、长矛等，但悟空却找不到一件称心如意的兵器。悟空得知东海龙宫有很多兵器，就决定去试一试。

　　悟空来到了东海龙宫，龙王便叫人拿出几件兵器给悟空试试手，其中一件兵器重七千两百斤，悟空觉得太轻。龙王心里很害怕，不知如何是好。这时龙婆、龙女建议龙王让悟空试一下镇海神铁。这根神铁金光万道，两头是两个金箍，中间是一段乌铁，上面写着"如意金箍棒"，重一万三千五百斤。悟空走近神铁一看，原来是一根铁柱。他两手用力一提，说了一声"太粗太长，再短一些才好用"。说完，这根铁柱子真的变小变细了。原来这根金箍棒可以随人意变化。悟空感谢东海龙王给了他一件称心的兵器，但他还要一套称心的衣服。东海龙王建议悟空去他兄弟那里要衣服。最后，南海龙王给了悟空一顶紫金冠，西海龙王给了他一副黄金甲，北海龙王也给了一双步云履。于是，悟空穿上这些衣服，手拿金箍棒，高高兴兴地回到了花果山。

根据上文选择正确答案：

1. 悟空去东海龙宫是想要＿＿＿＿＿。

　　a) 一把大刀　　　　c) 一件称心如意的兵器

　　b) 一根长矛　　　　d) 一根金箍棒

2. 当悟空说七千两百斤的兵器太轻时，东海龙王心里害怕。下面哪种解释是错的？

　　a) 龙王觉得悟空这个人来路不明，不敢得罪他。

　　b) 龙王恐怕拿不出悟空要的兵器。

　　c) 东海龙王担心如果他不满足悟空的要求，悟空会生气。

　　d) 龙王把悟空要的兵器藏在他兄弟那里。

3. 悟空得到的兵器是＿＿＿＿＿。

　　a) 一根金光万道的铁柱　　　c) 一根随意而变的"金箍棒"

　　b) 一把七千两百斤的大刀　　d) 一根由乌铁变成的长矛

4. 悟空的全副武装包括＿＿＿＿＿。

　　a) 一件兵器、一顶帽子、一套盔甲和一双鞋

　　b) 一把大刀、一副手套、一套盔甲和一双鞋

　　c) 一顶帽子、一双靴子、一套盔甲和一根长矛

　　d) 一套龙袍、一把大刀和一根铁柱

配对(量词)：

1. 旗袍	a. 架
2. 军装	b. 双
3. 靴子	c. 串
4. 钢琴	d. 棵
5. 草帽	e. 首
6. 钢铁	f. 顶
7. 葡萄	g. 副
8. 歌曲	h. 套
9. 手套	i. 吨
10. 铁棒	j. 件
11. 松树	k. 根

阅读(三) 孟姜女哭长城

1 根据课文判断正误

☐ 1) 孟姜女生活在秦朝时期。

☐ 2) 范喜良被抓去当兵。

☐ 3) 范喜良离开家时不是冬天。

☐ 4) 范喜良是累死的。

☐ 5) 长城被大雨冲倒了几十里。

☐ 6) 孟姜女最后找到了她丈夫的尸体。

2 配图

1. 葱   6. 茄子

2. 姜   7. 辣椒

3. 蒜   8. 芦笋

4. 芹菜 9. 藕

5. 菠菜 10. 蘑菇

3 哪个字正确

1. 请原凉/谅，我没能及时给你回信。

2. 我打算下个周末/未在我家举办一个派对。

3. 圣诞节期间，很多建筑/恐物上都挂着彩灯。

4. 新年除久/夕，每个家庭都聚在一起吃年夜饭。

5. 昨天我买了几张新影碟/蝶。你要想看就说一声。

6. 在香港，中秋节的晚上人们有烧腊/蜡烛的习惯。

7. 祝你在新的一年里学习进步，生活愉/偷快。

8. 北美国家每年都庆祝感恩/思节。

4 解释下列词语(注意带点的字)

① { 冬天 / 终于 }

② { 各个 / 下落 }

③ { 减价 / 大喊 }

④ { 马路 / 露营 }

⑤ { 滑冰 / 尸骨 }

⑥ { 紫色 / 紧急 }

⑦ { 颜色 / 页码 }

⑧ { 建议 / 礼仪 }

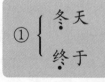

38

5 词汇扩展

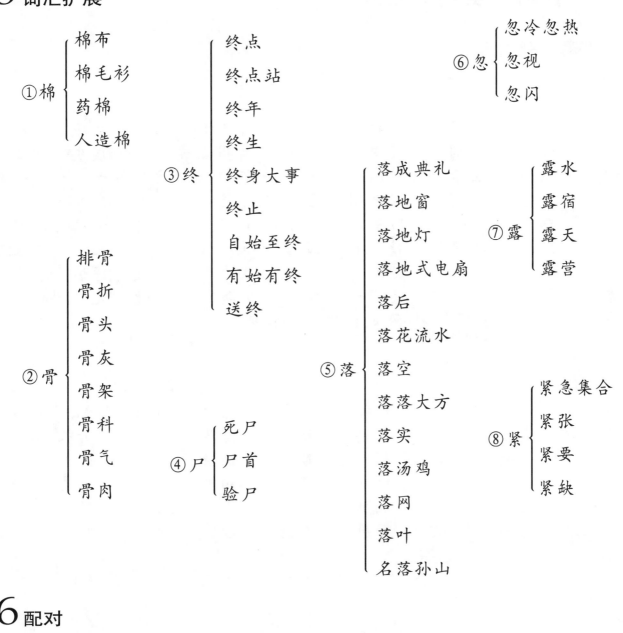

①棉 { 棉布 / 棉毛衫 / 药棉 / 人造棉

②骨 { 排骨 / 骨折 / 骨头 / 骨灰 / 骨架 / 骨科 / 骨气 / 骨肉

③终 { 终点 / 终点站 / 终年 / 终生 / 终身大事 / 终止 / 自始至终 / 有始有终 / 送终

④尸 { 死尸 / 尸首 / 验尸

⑤落 { 落成典礼 / 落地窗 / 落地灯 / 落地式电扇 / 落后 / 落花流水 / 落空 / 落落大方 / 落实 / 落汤鸡 / 落网 / 落叶 / 名落孙山

⑥忽 { 忽冷忽热 / 忽视 / 忽闪

⑦露 { 露水 / 露宿 / 露天 / 露营

⑧紧 { 紧急集合 / 紧张 / 紧要 / 紧缺

6 配对

1. 三长两短
2. 三五成群
3. 三三两两
4. 三生有幸
5. 三心二意
6. 三言两语
7. 三头六臂
8. 丢三落四

a. 形容言语简短。
b. 比喻神通广大，本领高强。
c. 形容做事马虎。
d. 指意外的灾祸或事故。
e. 形容极难得的好运气。
f. 形容不专一，拿不定主意。
g. 三人一伙，五人一群。
h. 零散，为数不多。

第一单元 复习、测验

1 解释下列词语

1 名词

正月	初一	腊月	大扫除	春联	贺年卡	除夕	年夜饭	身体
长辈	晚辈	汤圆	压岁钱	阳历	清明节	墓地	国庆节	日子
灯笼	蜡烛	公众	重阳节	元旦	劳动(节)	墓坟	母亲节	蝴蝶
气氛	街道	橱窗	建筑(物)	设计	复活节	心思	感恩节	下落
装饰	感觉	火鸡	万圣节	布丁	到来	派对	未来	成就
仙女	孤儿	夫妻	情人节	风俗	娘	簪	父亲节	银河
喜鹊	爱情	望远镜	翅膀	七夕	由来	礼仪	遗憾	
惊喜	脚下	摄像机	秦朝	棉衣	尸体	尸骨	元宵(节)	
圣诞节/老人/树/卡			网页	数码相机				

2 动词

办年货	拜年	祝福	祝贺	庆祝	结束	扫墓	纪念	登高
下决心	传说	思念	求婚	嫁	自尽	得知	听从	哭
打开	举行	增添	摆	期待	倒数	迎接	改掉	利用
团聚	作伴	放牛	返回	披	相见	搭	邀请	呆
原谅	抱歉	失望	拍照	别提	弄	丢	恐怕	迟到
拜托	修筑	决定	经历	打听	埋	喊	露	不许
毕业								

3 形容词

传统	吉利	英俊	深	痛苦	异常	尽	轻松	愉快	各自
不良	痛快	倒霉	紧	幸福	实在				

4 副词

互相	前后	日夜	立即	至少	到处	有所	不巧	及时
终于	四处	忽然						

5 短语

恭喜发财	万事如意	登高望远	才貌出众	一无所知	好景不长
千辛万苦					

40

2 配对(填字母)

1. 春节祝贺语 _____

2. 生日祝贺语 _____

3. 结婚祝贺语 _____

4. 圣诞节祝贺语 _____

5. 店铺开张祝贺语 _____

a. 恭喜发财
b. 圣诞快乐
c. 寿比南山
d. 百年好合
e. 开张大吉
f. 出入平安
g. 心想事成
h. 百头到老
i. 财源广进
j. 身体健康
k. 生意兴隆
l. 龙凤呈祥
m. 生日快乐
n. 万事如意

3 配对(动宾搭配)

1. 纪念
2. 增添
3. 期待
4. 修筑
5. 邀请
6. 举行
7. 祝贺
8. 原谅
9. 改掉
10. 利用

a. 娱乐设施
b. 铁路
c. 化装舞会
d. 新年的到来
e. 博物馆开馆十周年
f. 他的过错
g. 喝酒的习惯
h. 所有同事参加派对
i. 节假日
j. 他事业上取得成就

4 配对(词语解释)

1. 礼貌
2. 尽量
3. 托儿所
4. 福气
5. 谅解
6. 遗失
7. 仪器
8. 群众
9. 神仙
10. 遗产

a. 照管婴儿的地方
b. 由于疏忽而失掉东西
c. 科学技术上用于实验、计算等的精密器具
d. 达到最高限度
e. 言语、动作谦虚、恭敬的表现
f. 神话传说中的人物,有超人的能力,长生不老
g. 指享受幸福生活的命运
h. 死者留下的财产
i. 指人民大众
j. 了解实情后原谅或消除意见

5 找反义词

1. 吉利 _____
2. 幸福 _____
3. 深 _____
4. 轻松 _____
5. 异常 _____

6. 迟到 _____
7. 未来 _____
8. 增 _____
9. 失望 _____
10. 结束 _____

满意	痛苦	减
倒霉	紧张	浅
开始	正常	准时
目前		

6 翻译

1. 看他们小两口，恩恩爱爱，多幸福的一对啊！
2. 她总想嫁一个才貌双全的丈夫，但找到今天还没有找到。
3. 每年过春节，他至少能得到一千块压岁钱。
4. 我十八岁生日那天，妈妈告诉我，我是她的养女，这使我大吃了一惊。
5. 我二十一岁生日那天，爸、妈将为我举行一个"成人仪式"派对。
6. 那天的倒数派对别提有多热闹了。
7. 由于工作关系，我错过了母校的100年校庆，真是太遗憾了。
8. 每年春节我们全家人都聚在一起，拉拉家常。
9. 装修房子的事就拜托你了。
10. 昨天买东西时，钱包不小心给人偷了，真倒霉！

7 根据你自己的情况回答下列问题

1. 你们家每年怎样过春节？吃哪些特别的食品？
2. 你去年春节得到多少压岁钱？你用这压岁钱买了什么？
3. 清明节中国人上坟扫墓。你们家是否也有这个习惯？
4. 你吃过汤圆吗？是咸的还是甜的？
5. 过中秋节你吃月饼吗？你喜欢吃吗？
6. 讲一讲去年的圣诞节你们家是怎么过的。你收到了什么礼物？你给家人买了什么礼物？
7. 去年你是否参加了圣诞／新年倒数派对？你参加了哪些活动？你玩得痛快吗？
8. 你今年的生日打算怎么过？你期望得到什么礼物？
9. 你最好的朋友的生日是几月几号？你今年打算买什么生日礼物给他／她？
10. 今年的父亲／母亲节你想给父亲／母亲一个惊喜。请你讲一讲你的安排。

8 阅读理解

在世界众多的民族中，日本人的礼貌、谦恭①常常给人留下深刻的印象。

日本人初次见面时，总是互相鞠躬②，还要互相交换名片。日本人鞠躬很讲究。第一次见面时的"问候礼"是弯腰30度，"告别③礼"是45度。鞠躬时要脱帽，视线向下，态度要诚恳。

到朋友家作客，进屋后要脱帽、脱鞋和脱大衣。告别时，要先从坐垫上或椅子上站起来，然后恭恭敬敬地说："打扰您了，谢谢您的招待④"等客气话，行过礼，然后离开。日本人喜欢见面时送些礼物。当你收到礼物时，要先说："请允许我打开礼物看看，好吗？"然后打开礼物，再道谢。

日本人很注重打扮⑤。他们穿的衣服一般很整洁，这不仅是礼仪的需要，同时也显示出个人的修养和身份。现在的日本人一般穿西式服装，但是在传统节日或特殊⑥场合，他们会穿日本传统的民族服装"和服"。

根据上文选择正确答案：

1. 本文主要讲日本人_____。

   a) 怎样招待客人　　　b) 怎样鞠躬　　　c) 的礼仪　　　d) 怎样打扮

2. 从日本人的穿着可以看出这个人的_____。

   a) 修养和身份　　　b) 性格　　　c) 长相　　　d) 爱好

回答下列问题：

1. 日本人见面、告别时鞠躬有什么不同？

2. 到日本人家里作客，可以穿鞋进屋吗？

3. 日本人收到礼物后是否会当面打开？

4. 日本人为什么花很多心思在穿着上？

5. 平时日本人一般穿什么衣服？

6. 日本人的传统服装叫什么？什么时候穿？

配对（词语解释）：

1. 谦恭	a. 离别，分手
2. 鞠躬	b. 使容貌和衣着好看
3. 告别	c. 不同于同类的事物或平常的情况的
4. 招待	d. 谦虚而有礼貌
5. 打扮	e. 弯身行礼
6. 特殊	f. 对宾客表示欢迎并给以应有的待遇

9 写作

1. 设计一个生日会请柬，内容必须包括：

   − 被邀请人姓名

   − 生日会时间、地点

   − 穿着要求

2. 用至少250个字叙述你参加过的最愉快／倒霉的生日派对，
   内容必须包括：

   − 谁的生日会

   − 哪些人参加

   − 何时、何地

   − 什么活动

   − 发生了什么令人愉快／倒霉的事

   − 结局如何

第二单元　时事与娱乐

第四课　通讯与媒体

1 写一写：上网查资料

例子：

> 香港：今天白天天晴，稍后有雨，
> 气温在 23-27℃，湿度 70-90%。

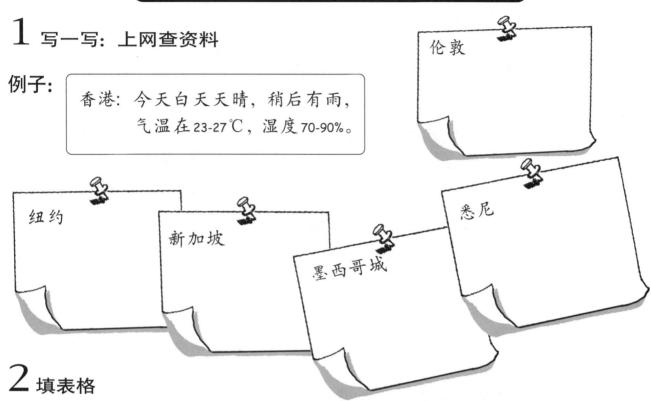

伦敦

纽约

新加坡

墨西哥城

悉尼

2 填表格

《青年一族》月刊订阅表			
每月一日出版	一年(八折)	二年(七折)	三年(六折)
平邮　香港、澳门、台湾	$300.00	$550.00	$800.00
平邮　中国	￥250.00	￥440.00	￥610.00
平邮　海外	US$50.00	US$90.00	US$125.00
航空　亚洲（除中国以外）	US$58.00	US$102.00	US$138.00
航空　海外	US$64.00	US$114.00	US$154.00

姓＿＿＿＿　名＿＿＿＿＿＿＿　　电话:＿＿＿＿＿＿＿　　手机:＿＿＿＿＿＿＿

传真:＿＿＿＿＿＿＿　　电子邮箱:＿＿＿＿＿＿＿

□一年　　□二年　　□三年

□平邮　　□航空　　□新订　　□续订

□支票　　支票抬头"青年出版社"

□信用卡　号码:＿＿＿＿＿＿＿＿

邮寄地址：上海邮政局 1964 信箱

3 读一读，写一写

1　我爱看《都市日报》，那上面的文章短小精悍，最适合每天上班乘地铁的人看。报纸里的文章虽然篇幅小，但内容很广，有国内新闻、国际新闻，还有娱乐新闻、体育新闻、天气预报、电视和电影预告等。报纸的最后两页是英文版的。阅读这份小报的人很多，因为是免费的，在各个地铁站都能拿到。

2　我爱看《东方日报》。我最爱看里边的娱乐版。我喜欢跟踪一些名人的消息，喜欢看那些名人的照片。尤其是累的时候，看看小道消息可以使人轻松一下，得到休息。

3　现代人的生活节奏很快，几乎没有时间坐下来阅读长篇大论。这就是为什么我喜欢看《读者文摘》的原因。这本杂志开本小，便于携带，里面的文章短小精悍。我经常在旅途中翻看，以此来消磨时间。

猜一猜：

1.升学率	5.失业率
2.出生率	6.利率
3.死亡率	7.离婚率
4.就业率	8.兑换率

该你了！

你最喜欢看的报纸、杂志或网页

4 填充

1. 告诉你时间的东西是＿＿＿＿＿＿＿＿。
2. 告诉你日期的东西是＿＿＿＿＿＿＿＿。
3. 下雨时用的东西是＿＿＿＿＿＿＿＿。
4. 脚上穿的东西是＿＿＿＿＿＿＿＿。
5. 刷牙用的东西是＿＿＿＿＿＿＿＿。
6. 戴在头上的东西是＿＿＿＿＿＿＿＿。
7. 戴在手指上的东西是＿＿＿＿＿＿＿＿。
8. 戴在耳朵上的东西是＿＿＿＿＿＿＿＿。
9. 早上叫你起床的东西是＿＿＿＿＿＿＿＿。
10. 你洗手用的东西是＿＿＿＿＿＿＿＿。

5 组词

1. 媒体 → 体育
2. ＿＿＿＿ → 共享
3. ＿＿＿＿ → 资讯
4. ＿＿＿＿ → 网络
5. 财经 → ＿＿＿＿
6. 世纪 → ＿＿＿＿
7. 提高 → ＿＿＿＿
8. ＿＿＿＿ → 节奏
9. ＿＿＿＿ → 发挥
10. ＿＿＿＿ → 便于

6 归类

以下是某一个网页的分类。请把以下文章标题归入方框中的类别。

1) 新闻	2) 娱乐	3) 游戏	4) 旅游	5) 文化	6) 体育	7) 健康	8) 评论
9) 军事	10) 育儿	11) 宠物	12) 天气	13) 科技	14) 汽车	15) 培训	16) 留学
17) 英语	18) 贺卡	19) 笑话	20) 财经	21) 房产	22) 教育	23) 星座	24) 图片
25) 聊天	26) 手机	27) 饮食	28) 购物	29) 二手货	30) 高尔夫		

__4__ a) 国内、外旅游信息

____ b) 文化论坛：现代文学动向

____ c) 一个真正的篮球巨人的诞生—姚明

____ d) 全国统一高考，有没有必要

____ e) 把中医推向世界

____ f) 新年新美味：新潮火锅

____ g) 新书推荐：《夜玫瑰》

____ h) 痛失爱猫的感受

____ i) 48 小时国内天气预报

____ j) 2003 年十大科技产品回顾

____ k) 中国消费者喜爱的汽车品牌

____ l) 北京计算机培训中心新课程

____ m) 中国留学生在美国

____ n) 如何选择英语口语教材

____ o) 动画片《一朵小小的野菊花》

____ p) 全球经济增长预测

____ q) 香港四大发展商投资上海地产

____ r) 中国的道德教育新方向

____ s) 二手市场管理问题急需解决

____ t) 美加十日游

____ u) 中国军事现代化

____ v) 如何帮助子女建立自信心

____ w) 购物新天地：南京路商业步行街

____ x) 2003 年羊年运程

____ y) 国际、国内最新消息

____ z) 远离癌症

7 解释下列词语(注意带点的字)

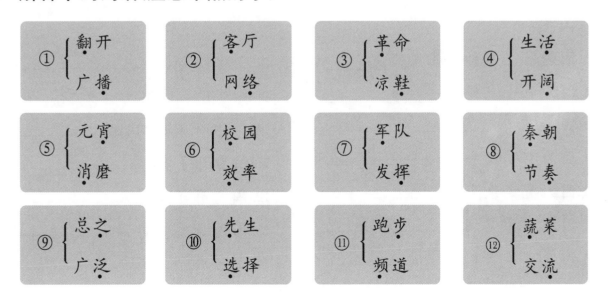

① { 翻开 / 广播

② { 客厅 / 网络

③ { 革命 / 凉鞋

④ { 生活 / 开阔

⑤ { 元宵 / 消磨

⑥ { 校园 / 效率

⑦ { 军队 / 发挥

⑧ { 秦朝 / 节奏

⑨ { 总之 / 广泛

⑩ { 先生 / 选择

⑪ { 跑步 / 频道

⑫ { 蔬菜 / 交流

8 配标题

① 两年前，在英国只有八分之一的人每周工作超过60个小时，可是现在上升到六分之一。报道说这些上班族超时的原因主要是为了赚钱和升职。

② 在被访问的1,000多名10至29岁青少年中，34%的被访者表示每周花10个小时左右在网上玩游戏。因此，家长们应该规定子女上网的时间，同时也应多花时间陪子女。

③ 英国参加义工人数在减少，2002年比2001年减少了五成，因为人们担心去发展中国家可能有危险。自从美国的"9·11"事件后，义务教师、社工及医务人员尤其缺乏。

④ 目前，每周至少上网一小时的中国网民人数正迅速上升，在世界上排行第三位，仅次于美国和日本。其中35岁以下的男性网民占网民的多数。

⑤ 由于中国经济发展迅速，全球的中文热也再度升温。在美国，有上千所高校设中文课程；在日本，有200多万人学中文；在加拿大，中文已成为继官方语（英语及法语）之后使用人口最多的语言。在亚洲的韩国、印尼、马来西亚、新加坡等国家，汉语也越来越被受到重视。

9 写一写

1. 因为有了电话、电邮，_____

2. 因为有了电视，_____

3. 因为有了互联网，_____

4. 因为有了打字机，_____

5. 因为有了汽车，_____

6. 因为有了空调，_____

7. 因为有了飞机，_____

8. 因为有成衣卖，_____

9. 因为有了信用卡、支票，_____

10. 因为有了手机，_____

11. 因为有了影碟，_____

12. 因为有了光盘，_____

13. 因为有了计算器，_____

14. 因为有了洗衣机，_____

10 词汇扩展

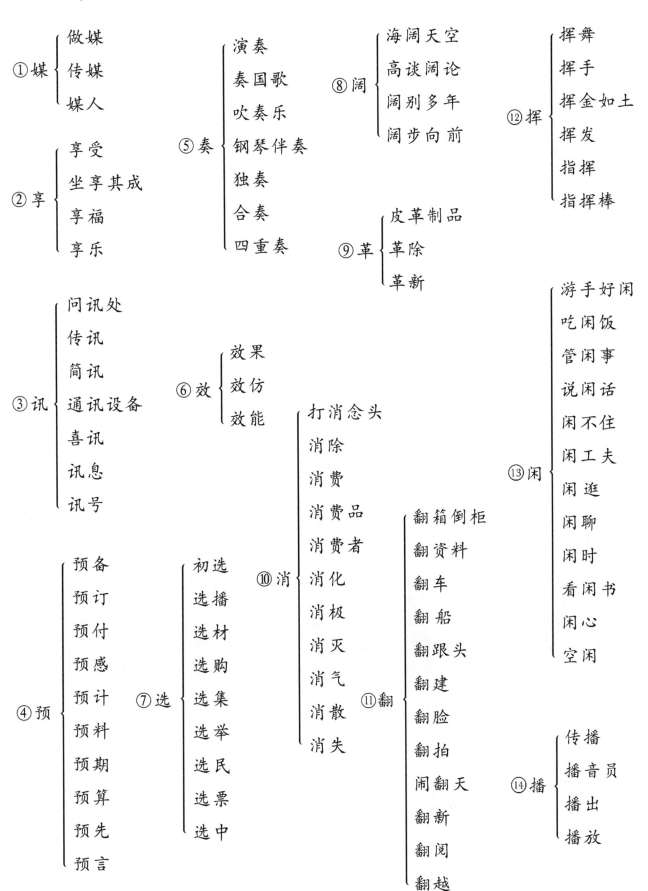

① 媒 — 做媒 / 传媒 / 媒人

② 享 — 享受 / 坐享其成 / 享福 / 享乐

③ 讯 — 问讯处 / 传讯 / 简讯 / 通讯设备 / 喜讯 / 讯息 / 讯号

④ 预 — 预备 / 预订 / 预付 / 预感 / 预计 / 预料 / 预期 / 预算 / 预先 / 预言

⑤ 奏 — 演奏 / 奏国歌 / 吹奏乐 / 钢琴伴奏 / 独奏 / 合奏 / 四重奏

⑥ 效 — 效果 / 效仿 / 效能

⑦ 选 — 初选 / 选播 / 选材 / 选购 / 选集 / 选举 / 选民 / 选票 / 选中

⑧ 阔 — 海阔天空 / 高谈阔论 / 阔别多年 / 阔步向前

⑨ 革 — 皮革制品 / 革除 / 革新

⑩ 消 — 打消念头 / 消除 / 消费 / 消费品 / 消费者 / 消化 / 消极 / 消灭 / 消气 / 消散 / 消失

⑪ 翻 — 翻箱倒柜 / 翻资料 / 翻车 / 翻船 / 翻跟头 / 翻建 / 翻脸 / 翻拍 / 闹翻天 / 翻新 / 翻阅 / 翻越

⑫ 挥 — 挥舞 / 挥手 / 挥金如土 / 挥发 / 指挥 / 指挥棒

⑬ 闲 — 游手好闲 / 吃闲饭 / 管闲事 / 说闲话 / 闲不住 / 闲工夫 / 闲逛 / 闲聊 / 闲时 / 看闲书 / 闲心 / 空闲

⑭ 播 — 传播 / 播音员 / 播出 / 播放

11 写一写：看一份中文报纸，用大约50个字为每个栏目简写一则短讯

栏 目	内 容 简 要
1. 头条新闻	
2. 国际新闻	
3. 本地新闻	
4. 天气预报(本地)	
5. 财经消息	
6. 娱乐、休闲	
7. 体育新闻	
8. 电脑游戏	

12 用所给词语填空

由于　因为　只要　尽管　不论　不管

1. ＿＿＿＿＿手提电话的普及，用公用电话的人比以前少多了。

2. ＿＿＿＿＿你肯努力，汉语是不难学的。

3. ＿＿＿＿＿他几点到家，他一定是先上网看电邮。

4. ＿＿＿＿＿他不说话，我也知道他心里在想什么。

5. ＿＿＿＿＿有喜鹊搭桥，所以牛郎、织女可以相见。

6. ＿＿＿＿＿他怎么说，爸爸就是不答应给他买手机。

7. ＿＿＿＿＿你道个歉，爷爷就会原谅你的。

8. ＿＿＿＿＿雨下得及时，今年农业收成喜人。

13 根据电视节目预告回答下列问题

有线东方台

2003 年 1 月 18 日　星期六

6:30	香港晚间新闻
7:00	世界各大城市天气预报
7:05	财经消息
7:30	ABC 世界新闻
8:00	中国新闻报道
8:30	迪斯尼卡通片《花木兰》
9:50	流行歌曲欣赏
10:00	东南亚美食
10:30	世界体坛
11:00	动物世界
11:30	连续剧《梦中情人》
12:00	中央电视台新闻转播
12:30	儿童节目
13:00	轻松学汉语
13:30	时尚
14:00	电影《末代皇帝》
16:30	澳洲网球公开赛实况转播

1. 如果你想知道香港的新闻、交通情况和各大报纸头条消息，你从哪个节目中可以看到？

2. 如果你想了解欧美股市行情，你应该看哪个节目？

3. 假如你弟弟是个网球迷，他可能会看哪个节目？

4. 妈妈最关心今春流行的服装款式及颜色。如果妈妈吃完午饭后有空，她可能会看哪个节目？

5. 如果你想知道中国发生了什么事，你可以看哪几个节目？

6. 妹妹今天没有去上学，她喜欢看动画片，她会看几点的节目？

7. 哪一个节目教你学汉语？

8. 你对烹饪特别感兴趣，而且最近正在学做泰国菜，你可能会看哪个节目？

9. 你想看 NBA 篮球赛，从哪个节目里你可以看到？

14 翻译

1. 牛郎织女是中国四大古典爱情传说之一。

2. 望远镜是任伯年收到的生日礼物之一。

3. "万事如意"是春节祝贺语之一。

4. 饺子是春节必吃的食物之一。

5. 收、发电邮只是电脑的用途之一。

6. 火药是中国古代四大发明之一。

7. 《西游记》是中国四大古典名著之一。

8. 蒙古族是中国的少数民族之一。

15 造句

1. 出现

2. 节奏

3. 效率

4. 提高

5. 发生

6. 旅途

7. 休闲

8. 普及

16 配对

1. 兔死狐悲	a. 比喻时间长久不了。
2. 守株待兔	b. 比喻不在自己家附近做坏事。
3. 兔子不吃窝边草	c. 比喻因同类的不幸而感到伤心。
4. 兔子尾巴长不了	d. 用来讽刺那些不想努力，只想凭运气有所收获的人。

17 发表你的意见

1. 应该禁止在电视上播放广告

2. 应该规定中、小学生每天上网的时间

3. 有色情内容或镜头的电视节目一定要在半夜后才能播出

4. 有必要在公共场合禁止高声说话

5. 广播会在五年内被电视取代

6. 电邮会在五年之内代替信件和传真

18 偏旁部首与汉字

偏旁	读法	意义	写出以下字的意思			
宀	宝盖头	多与住所有关	室 宿	客 宫	安 宝	家 宇
口	口字部	多与口有关	吃 喊	喝 嘴	唱 吵	叫 咳
饣	食字旁	多与饮食有关	饭 饺	饮 馆	饱 饼	饿
氵	三点水	多与水有关	汁 汽	汗 油	江 洋	汤 洲
忄	竖心旁	多与心理状态有关	情	怕	忙	快

19 阅读理解

电脑综合症

电脑已经成为许多人生活、工作中<u>不可缺少</u>①的重要工具。毫无疑问，它给人们带来了不少方便，但是长时间地坐在电脑前<u>确实</u>②会影响到我们的身体健康。

经常坐在电脑前，有的人眼睛发酸、视力<u>下降</u>③、腰酸背疼、手指<u>麻木</u>④。精神过度<u>疲劳</u>⑤还会引起思想不集中、工作效率下降。所有这些症状叫电脑综合症。

专家建议学生，<u>尤其</u>⑥是儿童，每次使用电脑最好不要超过一个小时，最好是每半个小时休息一次，让眼睛、身体和手脚有个自由活动和放松的间隙。<u>另外</u>⑦，还要将电脑桌椅调到一个适当的高度，使眼睛平视前方，身体坐直，这样会减轻眼部和肩、背部的劳累。

写出同义词：

1. 不可缺少
2. 确实
3. 下降
4. 麻木
5. 疲劳
6. 尤其
7. 另外

写一写：设计一套动作以减轻肩、背和腰的疲劳，并把具体动作写出来。

20 翻译

1. 他性格内向，不善于跟人交往。

2. 这次南美之行真是让我大开眼界。

3. 当他写作没有思路的时候，他会在房间里走来走去。

4. 如今，互联网上有很多适合青少年浏览的网站。

5. 在二十一世纪，电脑将得到进一步普及。

6. 我好久没有听到关于他的消息了。

7. 笔记本电脑越来越普及，因为便于携带，价钱也合理。

8. 今天的财经新闻报道说，由于经济不景气，失业人数还在不断增加。

9. 香港是一个国际大都市，人们生活节奏快，工作效率也高。

10. 电脑的出现，为使用汉字的国家在打字、印刷上带来了一场革命。

21 翻译

我的伙伴——电脑

电脑已成为学生学习必不可少的工具，几乎每门功课都需要电脑"帮忙"。语文老师让我们从互联网上"拿"资料；英文老师叫我们从互联网上看英文新闻；电脑老师让我们编一个电脑程序；数学老师通过互联网把数学题传到每个学生家中；老师还可以在电脑上改我们的作业。互联网是个知识大宝库，我现在不用跑去图书馆查资料，因为我想要的资料在互联网上都有。做完了功课还可以玩一会儿电脑游戏，跟同学们"聊天"，轻松一下。

但电脑并不是万能的，有时也会给我们带来麻烦。不知哪来的病毒会使电脑变成一个废物。我往往要花上好几个小时去排除故障。

人类现在越来越依赖电脑了。没有电脑的世界会是怎么样的？想象一下如果没有发明电脑，什么东西会代替电脑呢？

词语解释：

1. 必不可少 absolutely necessary
2. 编 weave; edit; compile; write
3. 程序 computer program
4. 病毒 virus
5. 排除 get rid of
6. 故障 breakdown
7. 依赖 rely on
8. 代替 replace

22 作文

写一篇文章谈谈互联网给你的生活、思维和交往带来了哪些正面和负面的影响。

参考词语：

听音乐	看新闻	查资料	电邮	电子卡	消磨	玩电脑游戏
看书	信息	节奏	选择	思路	效率	报刊、杂志
提高	眼界	交网友	身体	共享	传递	社交场合
改变	态度	设计	画图	广泛	休闲	写文章
打字	开阔	发挥	作用	视力	影响	对……来说
普及	成为	上网	打印	传真		

23 《西游记》连载(四) 自封齐天大圣

天上的玉皇大帝听说石猴无法无天，没有人能征服他，便派太白金星把悟空请到天上来。悟空一进天门，看见玉皇大帝也不下跪，只是弯了一下腰，一点规矩都不懂。玉皇大帝也不责怪他，还给了他一个弼马温的小官当当。悟空欢天喜地地做起了弼马温。悟空在天上每天跟马打交道。他工作很勤快，把马养得又肥又壮，玉皇大帝非常满意。有一天，悟空跟他的手下们闲聊时问道："我这弼马温是几品官？"手下人说："弼马温是最低、最小的官，只是看马养马而已，什么品级都没有。"悟空一听，怒气冲天，大声叫道："我老孙是花果山上的美猴王，你们敢这么看不起我，我不做了。"他站起身，推倒桌子，从耳朵里取出如意金箍棒，一个筋斗飞出了十万八千里，又回到了花果山。他把做弼马温的事告诉给众猴子们听，他们听了都非常气愤，其中一个猴子说："猴王，你有如此神通的本领，就做个齐天大圣吧！"悟空觉得这个主意不错，便叫人竖起旗帜，上面写着"齐天大圣"四个字。众猴和各洞妖王都来参拜庆贺。

查字典:

1. 跪

2. 腰

3. 责怪

4. 勤快

5. 筋斗

6. 竖

7. 旗帜

根据上文判断哪句解释不对:

1. "没有人能征服他"
   a) 没有人能使他屈服。
   b) 没有人能管住他。
   c) 没有人能说服他。

2. "一点规矩都不懂"
   a) 他连最起码的规矩都不懂。
   b) 他不知道在玉皇大帝面前该做什么，不该做什么。
   c) 玉皇大帝的指示悟空听不懂。

3. "猴王在天上每天跟马打交道"
   a) 猴王每天驯养马匹；如果马不听话，他会打它们。
   b) 猴王每天做跟养马有关的工作。
   c) 猴王每天做喂马、溜马、洗马槽等养马的工作。

4. "闲聊"
   a) 谈天说地　　b) 正式会面　　c) 聊天

5. "怒气冲天"
   a) 横冲直撞　　b) 非常气愤　　c) 大怒

阅读（四） 孔子

1 根据课文回答下列问题

1. 孔子生活在中国历史上哪个时期？

2. 孔子小时候是个什么样的孩子？

3. 孔子是否从年轻时就开始教书？

4. 孔子收学生时会挑选吗？

5. "诲人不倦"是什么意思？

6. 《论语》是孔子写的吗？书中主要有哪些内容？

2 学一学

<table>
<tr><th colspan="4">中国历史年代简表</th></tr>
<tr><th colspan="2">朝代</th><th>年份</th><th>朝代</th><th>年份</th></tr>
<tr><td colspan="2">夏</td><td>2070 B.C.–1600 B.C.</td><td>东晋十六国</td><td>317–420</td></tr>
<tr><td colspan="2">商</td><td>1600 B.C.–1046 B.C.</td><td>南北朝</td><td>420–589</td></tr>
<tr><td colspan="2">西周</td><td>1046 B.C.–771 B.C.</td><td>隋</td><td>581–618</td></tr>
<tr><td rowspan="2">东周</td><td>春秋</td><td>770 B.C.–476 B.C.</td><td>唐</td><td>618–907</td></tr>
<tr><td>战国</td><td>475 B.C.–221 B.C.</td><td>五代十国</td><td>907–960</td></tr>
<tr><td colspan="2">秦</td><td>221 B.C.–206 B.C.</td><td>北宋</td><td>960–1127</td></tr>
<tr><td colspan="2">西汉</td><td>206 B.C.–25 A.D.</td><td>南宋</td><td>1127–1279</td></tr>
<tr><td colspan="2">东汉</td><td>25–220</td><td>元</td><td>1279–1368</td></tr>
<tr><td rowspan="3">三国</td><td>魏</td><td>220–265</td><td>明</td><td>1368–1644</td></tr>
<tr><td>蜀</td><td>221–263</td><td>清</td><td>1644–1911</td></tr>
<tr><td>吴</td><td>222–280</td><td>中华民国</td><td>1912–1949</td></tr>
<tr><td colspan="2">西晋</td><td>265–316</td><td>中华人民共和国</td><td>1949–</td></tr>
</table>

3 配对

1. 四面八方　　　a. 各个方面或各个地方。

2. 四舍五入　　　b. 形容交通非常方便。

3. 四通八达　　　c. 形容人的举止言谈稳重。

4. 四平八稳　　　d. 运算时取近似值的一种方法。

4 词汇扩展

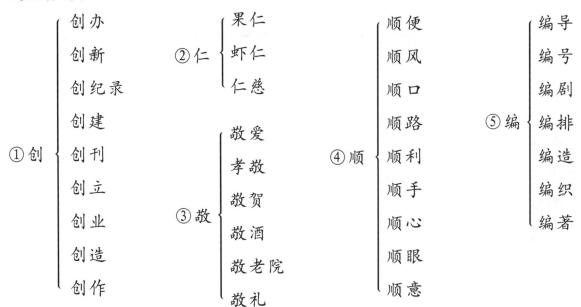

①创 ⎰ 创办 / 创新 / 创纪录 / 创建 / 创刊 / 创立 / 创业 / 创造 / 创作

②仁 ⎰ 果仁 / 虾仁 / 仁慈

③敬 ⎰ 敬爱 / 孝敬 / 敬贺 / 敬酒 / 敬老院 / 敬礼

④顺 ⎰ 顺便 / 顺风 / 顺口 / 顺路 / 顺利 / 顺手 / 顺心 / 顺眼 / 顺意

⑤编 ⎰ 编导 / 编号 / 编剧 / 编排 / 编造 / 编织 / 编著

5 配对(孔子名言)

1. 三人行，必有我师
2. 不耻下问
3. 因材施教
4. 己所不欲，勿施于人
5. 人无远虑，必有近忧
6. 听其言，观其行
7. 三思而行

a. 听了他说的话，还要观察他是否言行一致。
b. 在一起走路的三个人中，一定有可以做我老师的人。
c. 不要把自己所不希望的事情强加在别人身上。
d. 做事经过反复思考，然后再去做。
e. 根据学习者的能力、兴趣等具体情况，进行不同的教育。
f. 人若没有深远的谋划，那么就会有即将到来的忧虑。
g. 不因为向比自己地位低、学识少的人学习而难为情。

6 解释下列词语(注意带点的字)

① 需要 / 儒家

② 倒霉 / 教诲

③ 警察 / 尊敬

④ 教育 / 孝敬

⑤ 一遍 / 编写

⑥ 卷发 / 厌倦

⑦ 厕所 / 原则

⑧ 孝顺 / 教训

第五课　娱乐与休闲

1 写一写

1. 陶吧：<u>在陶吧，我可以喝咖啡，自己做陶器，还可以在那里会见朋友。</u>

2. 网吧：_____

3. 歌舞厅：_____

4. 电影院：_____

5. 剧院：_____

6. 体育馆：_____

7. 动物园：_____

8. 游乐场：_____

9. 度假村：_____

10. 健身房：_____

11. 水族馆：_____

12. 博物馆：_____

2 解释下列词语(注意带点的字)

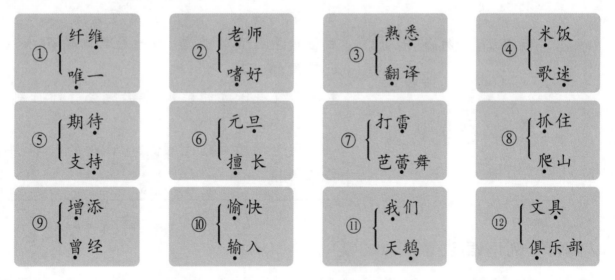

① { 纤维 / 唯一

② { 老师 / 嗜好

③ { 熟悉 / 翻译

④ { 米饭 / 歌迷

⑤ { 期待 / 支持

⑥ { 元旦 / 擅长

⑦ { 打雷 / 芭蕾舞

⑧ { 抓住 / 爬山

⑨ { 增添 / 曾经

⑩ { 愉快 / 输入

⑪ { 我们 / 天鹅

⑫ { 文具 / 俱乐部

3 写一写：评论一下你在以下几个方面有什么特长

1. 美术：<u>我擅长画画儿，钢笔画、水彩画、油画，我都会。</u>

2. 音乐：_____

3. 运动：_____

4. 表演：_____

5. 数学：_____

4 阅读理解

旅行札记：长白山之旅

今年的圣诞节假期，我和家人参加了一个东北旅行团，到吉林长白山旅行了六天。

我们先坐飞机去北京，再从北京乘火车去吉林，然后又搭汽车来到长白山脚下。这是我第一次来到东北，眼前的景象很是新奇：有小木屋、木围栏，到处都是冰天雪地。晚上我们住在长白山宾馆，里面还有温泉浴。

在长白山的五天里，我们游览了长白大瀑布、温泉、小天池。我们还在山林中滑雪，洗温泉浴，骑着摩托车在雪地里奔驰。这次旅游活动丰富多彩，玩得很尽兴。长白山的饮食也很独特，是典型的东北风味。我们吃炖菜和凉拌菜吃得最多，此外还品尝到了一些朝鲜族佳肴：辣白菜、打糕等。我父母还买了人参、木耳和长白木画。此次长白山之旅真是让我终生难忘。

查字典：

1. 围栏
2. 温泉
3. 浴
4. 瀑布
5. 摩托车
6. 奔驰
7. 典型
8. 炖
9. 拌
10. 朝鲜
11. 人参
12. 木耳

根据上文回答下列问题：

1. 长白山在哪儿？

2. 他去长白山都乘搭了哪些交通工具？

3. 长白山的冬天天气怎样？

4. 长白山之旅都有哪些活动？(列举三种)

5. 长白山居住着哪个少数民族？

6. 他在长白山时吃得最多的是什么？

7. 他妈妈买了哪些土特产？

5 找反义词

1. 支持 _____	7. 难受 _____	幸运　　　赢
2. 输 _____	8. 幸福 _____	反对　　　结束
3. 前线 _____	9. 倒霉 _____	次要　　　笑
4. 开始 _____	10. 迟到 _____	阳历　　　舒适
5. 阴历 _____	11. 首要 _____	痛苦　　　准时
6. 局部 _____	12. 哭 _____	整体　　　后方

6 词汇扩展

① 迷 {
迷宫
迷路
迷人
迷你
迷失
迷信
入迷
着迷
}

② 幻 {
幻想
幻觉
幻灯片
幻灯机
}

③ 板 {
门板
跳板
切菜板
调色板
滑雪板
死板
木板
}

④ 持 {
坚持
保持
持续
持久
持有
}

⑤ 输 {
输入
输出
输送
输赢
认输
运输
}

7 排序

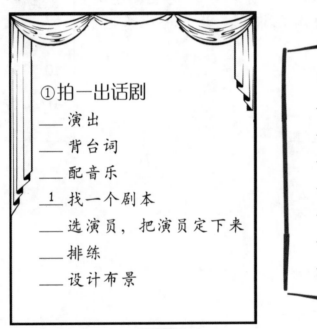

① 拍一出话剧
　__ 演出
　__ 背台词
　__ 配音乐
　_1_ 找一个剧本
　__ 选演员，把演员定下来
　__ 排练
　__ 设计布景

③ 开一所新学校
　__ 招聘老师
　__ 找资金
　__ 找校舍场地
　__ 招生
　__ 开课
　__ 盖校舍
　__ 找合适的教材考试，设计课程

② 出一份报纸
　__ 拿到报摊去卖
　__ 记者去采访、拍照
　__ 编辑
　__ 记者找题材
　__ 印刷
　__ 排版

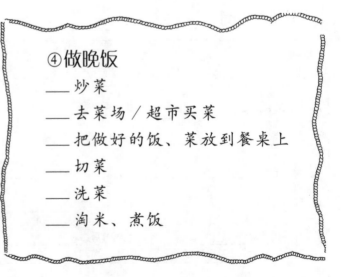

④ 做晚饭
　__ 炒菜
　__ 去菜场／超市买菜
　__ 把做好的饭、菜放到餐桌上
　__ 切菜
　__ 洗菜
　__ 淘米、煮饭

8 配对

1. 龙马精神	a. 形容年老体衰、行动迟钝的样子。
2. 龙腾虎跃	b. 形容来往车辆很多，非常热闹。
3. 龙飞凤舞	c. 比喻精神振奋，情绪高昂。
4. 老态龙钟	d. 比喻奋起行动，有所作为。
5. 龙生凤养	e. 形容写的字活泼奔放。
6. 车水马龙	f. 比喻出生于名门。

9 选择填空

1. 这部故事片的主要＿＿＿＿＿讲的是一个藏族舞蹈家的成长过程。
   (内含 / 故事 / 内容)

2. 他是个＿＿＿＿＿的板球迷，每场比赛他都看。(十分 / 十足 / 非常)

3. 他近来工作繁忙，经常加班到＿＿＿＿＿。(夜晚 / 夜里 / 深夜)

4. 世界杯足球赛决赛场面令人兴奋，每进一个球，观众们都会站起来
   欢呼＿＿＿＿＿。(叫好 / 叫喊 / 大叫)

5. 她＿＿＿＿＿的这个舞蹈融进了不少拉丁舞的动作。(安排 / 编写 / 编排)

6. 近几年北京的风沙很大，＿＿＿＿＿是在春天。(尤其 / 其中 / 曾经)

7. 他们俩合作的第一部武打片并不卖座，制片人和导演都感到非常＿＿＿＿＿。
   (期望 / 希望 / 失望)

8. 她想进音乐学院学作曲专业，结果没被录取，她感到很＿＿＿＿＿。
   (兴奋 / 扫兴 / 冲动)

10 偏旁部首与汉字

偏旁	读法	意义	写出以下字的意思			
辶	走之旁	多与行走有关	过 迎	远 送	运 退	进 递
扌	提手旁	多与手的动作有关	招 提 挂	摄 抱 持	摸 拔 挥	拍 挖 挑
礻	示字旁	多与祭祀、礼仪有关	礼	福	社	祝
犭	反犬旁	多与兽类有关	狗 猪	猫 猎	狼 狐	猴 猿

英国的007电影迎来40岁生日

查字典：

1. 间谍
2. 绅士
3. 风度
4. 形象
5. 风采
6. 秘密
7. 发射
8. 锁
9. 伏
10. 遥控
11. 隐形
12. 道具

007是一组反间谍的英国系列电影。自从1962年拍出第一部007电影以来，每两年拍一部新片。詹姆斯·邦德是007电影里的主角，他是一名英国间谍。

在这40年里，有好几位著名男演员在20部007电影里分别扮演过詹姆斯·邦德。其中最有绅士风度的要算肖恩·康纳利(Sean Connery)。他从1962年一直演到1971年，一共拍了六部007电影。继后由罗杰·摩尔(Roger Moore)扮演詹姆斯·邦德。他从1973年一直演到1985年。观众们一致认为他的表演相当轻松，富有幽默感。1987年到1988年期间的一部007电影是由蒂姆西·道尔顿(Timothy Dalton)主演的。他只演了一部，因为他知道观众不喜欢他扮演的间谍形象。从1995年至今，007电影都由皮尔斯·布鲁斯南(Pierce Brosnan)演主角。在2002年11月上演的第20部007电影《不日杀机》(Die Another Day)中观众再一次目睹了邦德的风采。

在这20部007电影里，观众目睹了不少现代化的秘密武器，包括能发射强酸的钢笔、能开锁并能产生2,000伏高压电的手机，还有遥控隐形汽车等。在电影里用过的几百件武器道具已经被"请"进伦敦科学博物馆展出。

回答下列问题：

1. 自从第一部007电影问世以来，有哪几位男演员担任过主角？你觉得哪个演员演得最好？

2. 你一共看过哪几部007的电影？哪一部电影你最喜欢？为什么？请把这部电影的简介写一下。

3. 最近的一部007电影叫什么名字？这是第几部007电影？男主角由谁扮演？你喜欢这部电影吗？为什么？

从文中找出同义词：

1. 有名 _____

2. 要数 _____

3. 后来 _____

4. 公认 _____

5. 十分 _____

6. 亲眼看到 _____

7. 供人参观 _____

12 翻译

奥运会

奥运会的全称是奥林匹克运动会，它起源于古希腊。早在公元前776年，希腊人每四年在奥林匹亚地区进行体育、文学和音乐项目的比赛，优胜者赢得橄榄枝。公元前393年，希腊国王禁止了这项运动。1892年，一位法国人提议举办国际性的运动会，这个建议得到了希腊的大力支持。于是1896年第一届奥林匹克运动会在希腊首都雅典举行。

现代奥运会的标志是五个相套接的圆环，其中蓝色代表欧洲，黄色代表亚洲，黑色代表非洲，绿色代表大洋洲，红色代表美洲。奥运会每四年举行一次。2000年的第27届奥运会是在澳大利亚的悉尼举行的，时间从9月15日一直到10月1日。参加奥运会的国家和地区有200个，参赛的运动员有12,000多名，比赛项目共28个，金牌总数为297枚，全球大约有35亿人在电视上观看了比赛。2008年的第29届奥运会将在中国的北京举行，这也是第一次在中国的国土上举行奥运会。

词语解释：

1. 奥运会 Olympic Games

2. 希腊 Greece

3. 优胜 winning

4. 橄榄 olive

5. 枝 branch; twig

6. 提议 propose; suggest

7. 雅典 Athens

8. 标志 symbol; sign

查出以下十届奥运会的举办地：

1) 2008	2) 2004	3) 2000	4) 1996	5) 1992
6) 1988	7) 1984	8) 1980	9) 1976	10) 1972

13 写一写

电视上的广告有哪些作用？还有其他的吗？

- 通过广告，厂家可以赚到更多的钱
- 人们通过广告对产品有了更多的了解
- 广告是介绍和推销新产品的有效方法
- 广告期间，观众可以站起来轻松一下
- 广告刺激观众的购买欲望
-
-

14 用所给词语填空

曾经
已经
经常
总是
从来
一直
正在
刚才
将要

1. 她年轻时 _____ 主演过歌剧《蝴蝶夫人》。

2. 我 _____ 对拉丁舞感兴趣。

3. 姐姐 _____ 排演一出话剧，她演主角。

4. 我们学校的足球队每次比赛 _____ 赢。

5. 这孩子摔倒了 _____ 都不哭。

6. 他们板球队很弱，比赛 _____ 输。

7. 火鸡 _____ 烤好了，我们准备吃饭了。

8. 我 _____ 说的话让你们不高兴，很抱歉。

9. 她可视电话不久 _____ 普及了。

15 翻译

1. 她从小就对芭蕾舞着迷，一心想当一个舞蹈家。

2. 他的嗜好是去网吧上网。

3. 他爱好体育运动，一有时间就打球。

4. 哥哥擅长武术，还经常参加市级武术比赛。

5. 她姐姐最近对剪纸非常感兴趣，能剪出各种各样的动物。

16 罗列

电影种类

1. 动作片
2. 科幻片
3.
4.
5.
6.
7.
8.
9.

17 找出每组词中不同类的词

① 编排　操练　排练　剧本

④ 演员　演技　导演　科技

② 话剧　芭蕾舞剧　歌剧　剧院

⑤ 球迷　队长　迷人　拉拉队

③ 板球　水球　壁球　发球

⑥ 观众　群众　听众　听写

18 读一读，写一写

世界著名经典音乐剧——《猫》

音乐剧《猫》由英国著名作曲家安德鲁·洛伊·韦伯(Andrew Lloyd Webber)作曲。韦伯出生于音乐世家，父亲是知名的风琴演奏家，母亲是小提琴家。他从小就对音乐非常感兴趣，青少年时代就开始音乐创作。

1981年5月11日，音乐剧《猫》于伦敦首演，1982年开始在纽约百老汇上演。《猫》剧先后在世界上20多个国家、55个城市巡回演出或长期演出，包括亚洲的东京、汉城、新加坡、香港等城市。到2002年为止，全世界看过《猫》剧的人超过6,500万人次。《猫》剧曾以14种语言、40多个版本演出过。《猫》全剧共有两幕，有21首歌曲，其中《回忆》(Memory)早已成为音乐剧史上一首不朽的名曲。在音乐剧历史上，《猫》剧是最成功的作品，也是演出时间最长的音乐剧。

查字典：

1. 演奏
2. 创作
3. 百老汇
4. 巡回
5. 版本
6. 幕
7. 不朽

接词（至少五个）：

1. 作曲家 → 家庭 → 庭院 → 院长 → 长辈 → 辈份
2. 时代 →
3. 长期 →
4. 成为 →
5. 城市 →
6. 著名 →

作文：

介绍一部你喜欢的电影、电视连续剧或戏剧作品，内容必须包括：
- 这部作品是谁创作的
- 作品有什么特点
- 观众对它有什么评价
- 你对这部作品有什么感想

19 阅读理解

电影《铁达尼号》(Titanic)是根据一艘叫"铁达尼号"的英国客轮的沉船遭遇而拍的。"铁达尼号"于1908年3月31日在英国开始制造，它全长269米，重4万多吨，共有9层楼高，当时被称作"永不沉没"的世界上最大、最豪华的客轮。1912年4月10日"铁达尼号"处女航从英国的南安普顿(Southampton)出发开往美国。在船上有很多欧洲和美国的贵族。4月14日星期日，"铁达尼号"曾经接到9次从前方发来的冰山警告，但船长并没有及时重视这一致命的警告。当晚11点40分，"铁达尼号"客轮在北大西洋撞上了冰山。当时没有人相信这条巨轮会沉没，船上也没有足够的救生艇。不到三个小时，这艘巨轮就无情地沉入了大海，1,500多人葬身于大海，只有700多人得救。

由詹姆斯·卡麦伦(James Cameron)导演的灾难爱情片《铁达尼号》可以称得上是一部最贵的电影，其制作费和推广费就花掉3.5亿美元。为了使电影有真实的效果，影片商还制造了一艘客轮。《铁达尼号》在1998年奥斯卡奖上获14项提名，创下了记录。在电影历史上，这部《铁达尼号》是第十四部以这条船的遭遇为题材的电影。

查字典：

1. 艘
2. 客轮
3. 遭遇
4. 制造
5. 吨
6. 沉没
7. 豪华
8. 致命
9. 撞
10. 救生艇
11. 灾难
12. 推广
13. 效果
14. 提名
15. 记录
16. 题材

根据上文判断正误：

- [ ] 1) 制造"铁达尼号"客轮花了大约四年的时间。
- [ ] 2) "铁达尼号"是一艘美国豪华客轮。
- [ ] 3) "铁达尼号"的第一次航行是从英国开往美国。
- [ ] 4) "铁达尼号"在航行过程中根本就没有接到任何冰山警告。
- [ ] 5) "铁达尼号"撞上冰山后在两小时之内就沉没了。
- [ ] 6) 在卡麦伦导演的《铁达尼号》之前有十三部同名电影。

20 写一写

你听说过这些俱乐部吗? 有没有参加过这些俱乐部?
请加上五个你所知道的俱乐部。

1. 野战游戏俱乐部
2. 潜水俱乐部
3. 休闲运动俱乐部
4. 骑马俱乐部
5. 飞鸟俱乐部
6. 划船俱乐部
7. 独木舟俱乐部
8. 健身俱乐部
9. 射箭俱乐部
10. 探险俱乐部

11. 高空弹跳俱乐部
12. 户外旅游俱乐部
13. 登山俱乐部
14. 野外生存俱乐部
15. 高尔夫乡村度假俱乐部
16. _____
17. _____
18. _____
19. _____
20. _____

21 作文

从上一题中挑一个俱乐部, 设计俱乐部活动简章。

例子:

野外生存俱乐部

目的　使青少年有机会交朋友, 学会怎样跟人合作, 提高独立生活能力, 更接近大自然。

日期: 2003 年 8 月 10 日——8 月 13 日

地点: 香港新界营地

年龄: 7-14 岁

人数: 最多 25 个

费用: 会员 $750, 非会员 $850, 包括一日三餐、住宿和交通费

活动: 划独木舟、登山、拔河、游泳、营火会、户外游戏等等

报名: 上网报名, 网址为 www.youthcamp.com.hk

电话: 2574 7688 王小姐

*备注: 自备睡袋、牙刷、牙膏、毛巾、游泳衣／裤、衣服等必需品

22 翻译

奥斯卡

全球各地的电影节、电影奖很多，中国有百花奖、金鸡奖；法国有戛纳电影节；德国有柏林电影节等等，但其中名气最大的要数美国的奥斯卡金像奖了。一年一度的奥斯卡颁奖典礼云集了世界各地的电影明星及电影工作者。全世界会有超过2亿观众通过电视观看奥斯卡颁奖仪式的实况转播。

奥斯卡奖杯是一座高13.5英寸、重3.9公斤的镀金男士像。奥斯卡奖分为成就奖、特别奖及科学技术奖三大类。成就奖主要包括最佳影片、最佳剧本、最佳导演、最佳表演(男、女主角和男、女配角)、最佳摄影、最佳美工、最佳音乐、最佳剪辑、最佳服装设计、最佳化妆、最佳短片、最佳纪录片、最佳外语片奖等。

1998年拍摄的影片《铁达尼号》共计获得11项奖，是获奖最多的影片之一。1987年拍摄的《末代皇帝》曾在第60届奥斯卡颁奖典礼上获得9项大奖。

词语解释：

1. 奥斯卡 Oscar
2. 戛纳 Cannes
3. 柏林 Berlin
4. 颁奖 give out an award
5. 典礼 ceremony
6. 云集 gather
7. 转播 (of radio or TV broadcast) relay
8. 镀金 gold-plating
9. 佳 good; excellent
10. 剪辑 film editing

23 翻译(注意带点的词语)

1. 输赢不重要，重要的是练球，提高球技。
2. 哥哥经常跟弟弟争高低，真没出息。
3. 这人说话常常没个轻重，真没修养。
4. 还没摸清这河的深浅之前，千万别下去。
5. 车辆统统由西门进出，行人得走东门。
6. 他们老两口有七个子女，眼下一个都不在身边。
7. 虽然他无情无义，但总不见得好坏不分吧。
8. 工程进度的快慢受天气的影响。
9. 我要订购同样粗细的木材100根。
10. 那些制造假药的人不管病人的死活，只想着赚钱。

24 《西游记》连载(五) 大闹天宫

悟空当上了齐天大圣后，整天没事干，东游西逛①，到处寻欢作乐②。玉皇大帝怕猴王惹事生非③，便派人请他来看管蟠桃园。

大圣来到蟠桃园后，看到树上有那么多又大又熟的桃子，高兴得不得了。他每天吃桃子，没过几天就把蟠桃园里的桃子全吃光了，只剩下又小又青的桃子还在树上挂着。

过了一些天，王母娘娘要开蟠桃会，派仙女来蟠桃园摘桃子，仙女看到又小又青的蟠桃非常着急，不知道怎么办。这时，孙大圣从树上跳下来，大声问道："你们敢到这里来偷桃？"仙女们把王母娘娘派她们来摘桃和开蟠桃会的事说了一遍。孙大圣大怒，决定亲自去问王母娘娘为什么不邀请他参加蟠桃会。孙大圣来到宴会厅，看到桌上放的美酒、珍果，便大口大口地吃了起来。大圣喝醉了，摇摇摆摆④地来到太上老君的住处。见太上老君不在，便来到炼丹房，趁人不在，把五个葫芦里的金丹一口吞了下去。吃完仙丹，酒也醒了，他知道闯了大祸，不能继续留在天上了，只好偷偷地逃走，又回到了花果山。

根据上文回答下列问题：

1. 悟空做了齐天大圣后，每天的日子是怎样度过的？

2. 蟠桃园里又大又熟的桃子是派什么用场的？

3. 悟空得知王母娘娘没有邀请他参加蟠桃会，他有什么反应？

4. 悟空为什么要偷偷地逃走？

配对(词语解释)：

1. 东游西逛	a. 走路脚步不稳
2. 寻欢作乐	b. 到处旅游
3. 惹事生非	c. 不务正业
4. 摇摇摆摆	d. 引起事端
	e. 指手画脚
	f. 寻找机会取乐

翻译：

1. 仙女看到又小又青的蟠桃非常着急。

2. 悟空看到满园又大又熟的桃子，高兴得不得了。

3. 仙女们把王母娘娘派她们来摘桃和开蟠桃会的事说了一遍。

4. 看到桌上放的美酒、珍果，悟空便大口大口地吃了起来。

阅读(五) 老子

1 根据课文判断正误

☐ 1) 老子小时候读书勤奋、刻苦。

☐ 2) 老子是儒教的创始人。

☐ 3) 道教源自于印度。

☐ 4)《道德经》是道教的基础。

☐ 5) 老子认为人生不能只追求物质享受。

☐ 6) 福祸轮流更换是因为"知足常乐"。

2 配图

1. 魔术　　3. 钓鱼　　5. 捉迷藏　　7. 麻将　　9. 象棋

2. 木偶　　4. 跳绳　　6. 扑克牌　　8. 围棋　　10. 国际象棋

   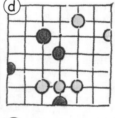 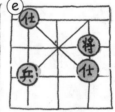

3 猜一猜

1. 失物招领　　7. 尊老爱幼　　13. 远大理想

2. 天体宇宙　　8. 男婚女嫁　　14. 孤儿寡母

3. 损坏公物　　9. 终身遗憾　　15. 海阔天空

4. 追求享受　　10. 埋头苦干　　16. 乐极生悲

5. 宗教信仰　　11. 风餐露宿　　17. 贪生怕死

6. 基础知识　　12. 广开思路　　18. 博古通今

4 词汇扩展

①勤 {
四体不勤
后勤部
出勤
缺勤
值勤
勤奋好学
勤快
勤劳致富
勤学苦练
勤杂工
}

②损 {
磨损
损坏
损人利己
损失
}

③基 {
路基
基本
基本功
基本上
基层
基础知识
基地
基金
基因
}

④宇 {
宇航员
宇宙飞行员
宇宙飞船
}

⑤贪 {
贪吃贪喝
起早贪黑
贪小便宜
贪图名利
贪心
贪得无厌
贪官
贪玩
贪小失大
}

⑥追 {
追查
追根究底
追赶
追回
追随
追问
}

⑦招 {
招兵买马
招财进宝
招工广告
招牌
招生
招手
招摇过市
}

5 配对

1. 五花八门	a. 比喻敬佩到了极点。
2. 五谷丰登	b. 形容农业大丰收。
3. 五光十色	c. 形容事物花样繁多，变化多端。
4. 五脏六腑	d. 形容色泽鲜艳，花样繁多。
5. 五体投地	e. 泛指人体内的各种器官。
6. 五谷不分	f. 形容脱离劳动和实际的人。形容缺乏常识的人。

6 解释下列词语(注意带点的字)

① { 其实 / 基础 }

② { 照片 / 招祸 }

③ { 打折 / 哲学 }

④ { 棕色 / 宗教 }

⑤ { 于是 / 宇宙 }

⑥ { 铁锅 / 祸害 }

⑦ { 队员 / 损害 }

⑧ { 森林 / 贪婪 }

第六课 社会名流

1 排序然后翻译

___ 鸡：不轻信别人；能为别人提供帮助；工作如意

___ 兔：性情温和；不爱说话；有设计天份

_1_ 鼠：聪明；全面发展；在困难面前不后退

___ 猪：乐于助人；勤劳；适合各种工作

___ 蛇：属蛇的男性幽默，有吸引力；女性迷人，做事不急

___ 牛：天生是领导；处事小心；总是三思而后行

___ 羊：高贵迷人；外表温和；重视家庭，疼爱子女

___ 狗：为人正直，平易近人；喜欢为别人服务；信得过

___ 龙：对人热心；有勇气、自信

___ 虎：独立；喜欢单独行动；乐观，积极向上

___ 马：性情外向；活泼，有同情心；会管钱

___ 猴：聪明，见闻广；记忆力好；热情

2 用所给的词填空

就（便）　　才

1. 还没有倒数到最后一秒钟，人们 _____ 开始欢呼起来，互祝新年快乐。

2. 他逛了好几家专卖店，_____ 决定买下这部摄像机。

3. 一个盲人只摸了一下大象的耳朵，_____ 说大象像一把扇子。

4. 我一打999，警察五分钟后_____ 到了。

5. 他们刚结婚一年 _____ 离婚了。

6. 离圣诞节还有一个月，她_____ 开始寄圣诞卡给她远方的亲戚朋友。

7. 我在网页上浏览了好半天，_____ 找到我需要的资料。

8. 她只花了两年的时间 _____ 编写出了一套地理教科书。

3 找出每组词中不同类的词

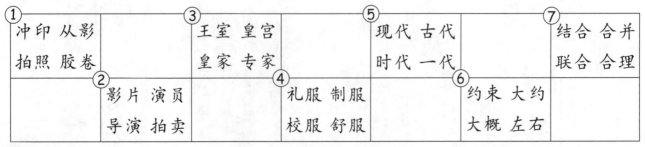

① 冲印 从影 拍照 胶卷		③ 王室 皇宫 皇家 专家		⑤ 现代 古代 时代 一代		⑦ 结合 合并 联合 合理
	② 影片 演员 导演 拍卖		④ 礼服 制服 校服 舒服		⑥ 约束 大约 大概 左右	

肖邦

肖邦是一位伟大的作曲家和钢琴家。他在世人的心目中又是一位钢琴诗人。

1810年，肖邦出生在波兰华沙的一个小镇上。他有三个姐妹，从小父母就教他们音乐。八岁时，肖邦在一次慈善音乐会上初次展露了他的音乐才华，被人们称为音乐神童。

肖邦十四岁进入华沙音乐学院学习，但不久战争爆发，他不得不离开家乡，去了西欧。肖邦十九岁时爱上了一位叫玛丽亚的小姐，但由于她父母不同意这门亲事，肖邦最终没能跟她结婚。二十六岁时，肖邦与乔治·桑相爱了。乔治·桑比肖邦大五岁，是一位小说家。与乔治·桑相爱的一段时间里，肖邦创作了很多名曲。

肖邦一生致力于钢琴曲创作与演奏。他的作品充满生命力、想象力，并富有感情。他十分钟爱他自己的国家和民族。他一生创作了几十首舞曲，包括《玛祖卡舞曲》、《波兰舞曲》等。他所创作的华尔兹舞曲、小夜曲及钢琴协奏曲等名曲至今仍深受人们的喜爱。

肖邦的身体一直不太好，又患上了当时是不治之症的肺病。肺病终于在1849年夺去了他年轻的生命，他死时只有三十九岁。

查字典：

1. 展露
2. 才华
3. 神童
4. 爆发
5. 亲事
6. 最终
7. 致力
8. 充满
9. 生命力
10. 想象力
11. 钟爱
12. 小夜曲
13. 协奏曲
14. 患
15. 不治之症
16. 肺病
17. 夺去

根据上文回答下列问题：

1. 肖邦是哪国人？

2. 谁是肖邦的音乐启蒙老师？

3. 人们为什么称他为"音乐神童"？

4. 他曾经在哪个音乐学院学习过？

5. 他一生中爱过几个女人？

6. 他的钢琴曲有什么风格？

7. 他在音乐方面有哪些天份？

5 用所给的字填空

冰 心

查字典：
1. 军官
2. 赴
3. 旅途
4. 发表
5. 感想
6. 歌颂
7. 童真
8. 真切
9. 积极
10. 出版

冰心是中国现代著____①女作家、儿童文学家。她____② 1900年10月5日出生在福建省福州市的一个海军军官家庭。她的童年是在海边度____③的，所以她特____④喜欢大海，在她的早期作品中经____⑤写到海。13岁那年，她____⑥全家到了北京。中学毕业后，她考进了燕京大学。1923年大学毕____⑦以后，她赴美留学，在美国研究英美文学。她把在这段时期中的旅途见闻写成散文，先后寄回中国发表。后____⑧她将这些散文收集在一本叫____⑨《寄小读者》的集子里。这些散文都是以书信形式介____⑩她赴美途中的见闻以____⑪在美国留学时的感想的。冰心的散文多以歌颂母爱、童真和自然为主题，十分真切、感____⑫。解放后，她主要从事儿童文学创作，____⑬积极参与社会活动和国际文____⑭交流活动。她的作品曾被译成日、英、德、法____⑮多种文字出版。冰心于1999年3月1日去____⑯。

> 过 跟 业 人 别 及 作 等 名 于 绍 化 来 常 并 世

6 写一写

1. 卓别林（Chaplin）是英国人。他是一位幽默大师，既是演员又是导演。

2. 麦当娜（Madonna）_____

3. 肯尼迪总统（President Kennedy）_____

4. 比尔·盖茨（Bill Gates）_____

5. 迈克尔·杰克逊（Michael Jackson）_____

6. 比尔·克林顿（Bill Clinton）_____

7. 迈克尔·乔丹（Michael Jordan）_____

8. 姚明 _____

7 阅读理解

"巨人"姚明

姚明生于1981年。身高7尺4寸（2.26米），被人称___① "巨人"。他是美国休斯顿火箭队的新秀。1998年姚明去美国参加了一个___② Nike主办的篮球夏令营。在这个陌生的美洲大陆上，他做梦___③没有想到他有幸与"球王"迈克尔·乔丹相遇，而且___④有机会切磋球艺。姚明当时出色的表现已赢得了乔丹的称赞。当时乔丹___⑤姚明来NBA打球，___⑥姚明认为这完全是开玩笑。谁也没有想到，四年后的今天，姚明竟然成了NBA的新秀，并且跟乔丹在球场上一决高下。姚明回忆说："看乔丹打球是一种享受，但如今和他在同一场上打球时，我___⑦要时常提醒自己不要___⑧站在那儿看他的雄姿。"

查字典：

1. 新秀
2. 陌生
3. 切磋
4. 称赞
5. 开玩笑
6. 竟然
7. 回忆
8. 提醒
9. 雄姿

作文：

写一个你喜欢的电影明星、体育明星、歌星或其他名人，内容必须包括：

– 国籍、长相、性格

– 给公众带来什么影响

– 你特别欣赏他／她什么

选择填空：

1. a) 呼　　b) 为　　c) 叫
2. a) 由　　b) 以　　c) 被
3. a) 也　　b) 更　　c) 还
4. a) 就　　b) 没　　c) 还
5. a) 向　　b) 叫　　c) 给
6. a) 却　　b) 但　　c) 便
7. a) 主　　b) 却　　c) 只
8. a) 只　　b) 非　　c) 正

8 翻译下列句子并从框内选三个词造句

助动词：

要
想
敢
肯
愿意

1. 愚公要搬走门前的两座大山。
2. 她长大后想嫁一个英国丈夫。
3. 我妈妈不愿意搬到美国去住。
4. 我们三个人都想看武打片。
5. 他上校长的课时从来都不敢迟到。
6. 她不肯把新影碟借给我。
7. 他不敢从拍卖行买二手车。
8. 祝英台不肯嫁到马家，一心想着梁山伯。

9 翻译

1. 中国文化大革命(1966-1967年)期间，中学毕业生都被送到工厂、农村和部队去接受再教育。

2. 《白雪公主和七个小矮人》是个美丽的童话故事。

3. 王进画的油画富有青春活力，很受年轻人的喜爱。

4. 1977年，她正赶上文化大革命之后的第一次高考，并成功地考进了上海同济大学建筑系。

5. 唐国强在《雍正王朝》这部电视连续剧中成功地塑造了雍正皇帝的形象。

6. 他积极参与慈善活动。今年他把筹得的几百万全部捐助给山区小学购买教学设备。

7. 张艺谋执导的《英雄》入选奥斯卡最佳外语片提名，遗憾的是该影片没能获得最佳外语片奖。

8. 实际上，他们俩当初就不该结婚。

10 完成下列句子

1. 如果我有机会跟一个名人进餐，<u>我一定会选撒切尔夫人，因为她是我最崇拜的政治家。</u>

2. 如果我能捐出100万美元，我_____

3. 如果我有幸成为王子（或公主），我_____

4. 如果我有机会拍电影，_____

5. 如果我心目中的理想情人_____

6. 如果我能发明_____

7. 如果_____

8. 如果_____

9. 如果_____

10. 如果_____

11 阅读理解

马可·波罗

马可·波罗(Marco Polo, 1254 -1324 年)是意大利旅行家。他出生在意大利威尼斯(Venice)的一个富商家庭。他父亲和叔叔经常在地中海东部一带做生意①，一次偶然的机会，他们跟着一位蒙古使者来到了中国。这两个高鼻子、蓝眼睛的欧洲人的到访使元朝皇帝元世祖对欧洲的商贸、宗教信仰和风俗习惯有所了解。公元1275年，马可·波罗随②父亲和叔叔来到中国。英俊聪明的马可·波罗当时只有③二十岁左右，他很快学会了蒙古语和汉语，并得到元世祖的信任及宠爱。他在宫廷任职达17年之久，还作为钦差大臣先后被派往山西、四川、云南等地。他还积极参与社交活动，代表元朝政府出使越南、菲律宾、印尼等国家。他对中国及亚洲各国的情况非常熟悉④。公元1292年，马可·波罗父子回到了意大利。在1298年的一次战争中，马可·波罗受伤后不幸被俘，关进监狱。在漫长的监狱生活中，他结识⑤了一位作家，他把知道的关于⑥中国的事都讲给这位作家听。作家就把它写成了一本叫作《马可·波罗游记》的书。通过这本书，当时的西方国家开始认识中国，也使中国与世界其他国家开始接触交往，从而促进了中、西方文化的交流。

查字典：

1. 偶然
2. 使者
3. 信仰
4. 信任
5. 宫廷
6. 任职
7. 钦差大臣
8. 被俘
9. 监狱
10. 漫长
11. 接触
12. 促进

根据上文回答下列问题：

1. 马可·波罗出生在一个什么样的家庭？
2. 他爸爸和叔叔第一次是怎样去中国的？
3. 元朝皇帝元世祖对欧洲的哪些方面感兴趣？
4. 马可·波罗会说哪几种语言？
5. 马可·波罗在宫廷任职期间出访过哪些国家和地区？
6. 1298年的那场战争对马可·波罗有什么影响？
7. 《马可·波罗游记》是谁执笔写的？
8. 《马可·波罗游记》在当时产生了什么影响？

选择同义词：

1. a) 商业　b) 营业　c) 买卖
2. a) 跟　b) 从　c) 和
3. a) 只是　b) 仅　c) 只好
4. a) 面熟　b) 了解　c) 认识
5. a) 有关　b) 认识　c) 了解
6. a) 有关　b) 对于　c) 由于

12 词汇扩展

① 摄 { 摄取 / 摄像(机) / 摄制 / 拍摄 }

② 获 { 收获 / 获得 / 获救 / 获取 / 获胜 / 获悉 / 获知 / 获准 }

③ 丽 { 秀丽 / 华丽 / 风和日丽 / 富丽堂皇 }

④ 配 { 配药 / 配眼镜 / 配备 / 配菜 / 配对 / 配方 / 配合 / 配色 / 配套 / 配音乐 / 搭配 }

⑤ 构 { 构成 / 构想 / 构思 / 构图 / 构造 / 结构 }

⑥ 奖 { 奖杯 / 奖金 / 奖牌 / 奖品 / 奖赏 / 奖学金 }

⑦ 逐 { 逐步 / 逐个 / 逐字逐句 }

⑧ 愿 { 自愿 / 志愿 / 心愿 / 愿望 }

⑨ 执 { 执行 / 执照 }

⑩ 雄 { 雄伟 / 雄心 / 雄性 }

⑪ 佳 { 佳话 / 佳节 / 佳境 / 佳丽 / 佳品 }

⑫ 塑 { 塑料(袋) / 塑料制品 / 塑像 / 泥塑 }

13 偏旁部首与汉字

偏旁	读法	意义	写出以下字的意思			
亻	单人旁	多与人有关	俊 体	仁 信	儒 傻	佳 仗
讠	言字旁	多与说话有关	讲 谅	说 访	谈 记	语 请
车	车字旁	多与车有关	辆	输	轮	军
心	心字底	多与思想、感情、心理活动有关	想 感	急 忠	忘 态	念 恐

78

14 阅读理解

J·K·罗琳与《哈利·波特》

《哈利·波特》系列自1997年出版以来，已经销售了3,500万册，并被翻译成30多种文字。

《哈利·波特》是怎样诞生的呢？原来，34岁的作家J·K·罗琳(J. K. Rowling) 1990年在开往伦敦的火车上，突然想到要写一本关于一名男生学习巫术的故事。她花了六年的时间写完了第一本，并花了一年的时间找到了一家出版社。《哈利·波特》第一本书出版后，很快就成了抢手货，男女老少争相读阅，特别受到9-11岁孩子的喜爱。第二本及第三本已相继出版，第四本也已于2001年7月8日全球同步发行。据说，第四本书的第一版印刷数量为150万本，现在第五本也已出版。作者打算在2005年推出最后一本《哈利·波特》，也就是第七本。除了书以外，到2003年为止，人们也已经看到了两部《哈利·波特》的电影，真是让人大饱眼福。

查字典：

1. 系列
2. 销售
3. 翻译
4. 出版社
5. 抢手
6. 相继
7. 发行
8. 眼福

根据上文判断正误：

☐ 1)《哈利·波特》系列有二十多种译本。

☐ 2)《哈利·波特》系列一共有七本。

☐ 3) 罗琳在去伦敦的火车上产生了写《哈利·波特》的念头。

☐ 4) 她花了六年的时间找到了一家出版社出版她的《哈利·波特》。

☐ 5) 尤其是9-11岁的孩子特别喜欢看《哈利·波特》。

☐ 6) 到2003年为止，《哈利·波特》系列已全部拍成电影。

15 解释下列词语(注意带点的字)

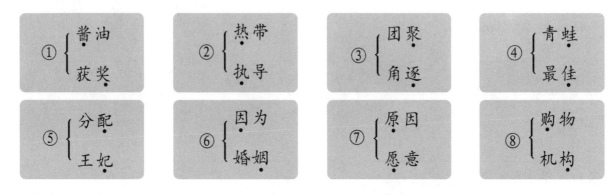

① {酱油 / 获奖

② {热带 / 执导

③ {团聚 / 角逐

④ {青蛙 / 最佳

⑤ {分配 / 王妃

⑥ {因为 / 婚姻

⑦ {原因 / 愿意

⑧ {购物 / 机构

特里萨修女

特里萨修女(Mother Theresa)于 1910 年 8 月 26 日出生于马其顿(Macedonia)，是阿尔巴尼亚族人。1997 年 9 月 5 日她在印度的加尔各答(Calcutta)病逝，享年 86 岁。

特里萨修女的父母亲都是天主教徒。她十八岁那年决定当修女，于是来到爱尔兰首都都柏林(Dublin)一所修道院见习，同时学习英语。1928 年底，她来到印度的大吉岭(Darjeeling)，负责照看那些生活在饥饿和疾病中的穷人。此后，她被派到印度最大的城市加尔各答接受教师培训。毕业后，她在一所学校教历史和地理。学校附近有一个贫民窟，她很同情那里忍受着贫穷和饥饿困扰的穷人，于是便在贫民窟开办了第一间收容所。1948 年，38 岁的她得到了罗马教廷的批准，脱下教服，换上了一件简单的蓝白沙里装(Sari)，整天深入民间，救济贫民。她的献身精神感动了不少年轻女子。1950 年她创立了仁爱会(Missionaries of Charity)，先后在 67 个国家创办了医院、收容所、青年中心和孤儿院。她的追随者遍布 111 个国家，人数达 4,500 之多。特里萨修女有着一颗充满慈爱的心，她把毕生精力献给了慈善事业。这位人民的母亲将永远活在人民的心中。

查字典：

1. 修女
2. 病逝
3. 天主教徒
4. 见习
5. 负责
6. 饥饿
7. 穷人
8. 培训
9. 贫民窟
10. 困扰
11. 批准
12. 深入
13. 救济
14. 追随者
15. 遍布
16. 毕生
17. 永远

根据上文填空：

特里萨修女生平简历	
1910 年 8 月 26 日	
1928 年底 — 1947 年	
1948 年以后	
1950 年	
1997 年 9 月 5 日	

17 阅读理解

莫 奈

莫奈(Claude Monet, 1840-1926年)是法国画家，油画印象派的创始人。他从小喜欢画画儿，15岁时他的油画就已经在画廊里展出。十七岁那年他父亲希望他进美术学院接受正规训练，但他拒绝接受学院派的正规教育，喜欢流连于各种画展。二十二岁时，莫奈进入巴黎古典主义学院派画家格莱尔的画室。在那里，他结识了其他三名同学，组成了"四好友集团"。他们走出画室，到大自然中去学习。1874年，他的惊世之作《印象·日出》拉开了印象派的帷幕。随后他隐居作画达43年，创造出许多印象派油画作品，其中《睡莲》是他晚年的名作。这位86岁的印象派之父在1926年11月5日与世长辞。

莫奈的创作追求大自然的美。他的画往往记录了画家瞬间的感觉和印象，着重光色及空气的效果。他的主要作品有《草地上的午餐》、《花园里的女人们》、《巴黎圣拉查尔火车站》和组画《睡莲》等。

查字典：

1. 印象派
2. 画廊
3. 正规
4. 训练
5. 拒绝
6. 流连
7. 结识
8. 集团
9. 帷幕
10. 隐居
11. 莲
12. 与世长辞
13. 瞬间
14. 着重

根据上文回答下列问题：

1. 莫奈开创了哪个油画画派？
2. 他年轻时接受过正规的美术教育吗？
3. 他喜欢去哪里作画？
4. 他的成名作是哪一幅油画？
5. 《睡莲》是他哪个时期的作品？
6. 莫奈画的油画有哪些特点？

作文：

介绍一个对社会或世界作出巨大贡献的人，内容必须包括：
- 他／她的姓名及国籍
- 他／她的性格怎样
- 他／她为社会作出了哪些贡献

18 《西游记》连载(六) 镇压在五行山下

　　大圣走后，王母娘娘和太上老君都到玉皇大帝那里去告状。玉帝听后气急败坏，决定派人去捉拿孙悟空。

　　孙悟空拔出一把毫毛，变成千百个悟空，跟玉帝派来的十万天兵天将打斗。这么多天兵竟然抓不到孙悟空，天上的观音菩萨也没有办法。这时太上老君建议观音用金钢镯把猴子扣①住。不出所料，金钢镯正巧扣在悟空的头上，天兵们一下子拥②上去把悟空抓住，并用绳子捆③起来带他回天上。

　　大圣被放进一个炼丹炉里烧。他很聪明，躲④在风口处，眼睛炼成了火眼金睛，而身子一点儿也没伤着。到开炉那天，大圣竟然从炼丹炉里跳出来逃走了。玉皇大帝没有办法，只好请佛祖如来佛镇压⑤大圣。如来佛把悟空放在他的手掌上，如果悟空能跳⑥出他的手掌就算赢。悟空一个筋斗跳出十万八千里，停下来一看，居然还在原地。原来如来佛的五指是五行山，孙悟空根本就跳不出如来佛的手掌。正在这时，如来佛将手掌一翻⑦，把悟空压在了五行山下，只露出手和头可以活动。如来佛怕悟空逃掉，写了一张帖子贴在山顶上压住他。

根据上文选择正确答案：

1. 最后谁把孙悟空制服了？

　　a) 王母娘娘。

　　b) 玉皇大帝。

　　c) 如来佛。

　　d) 天兵天将。

2. 为什么大圣在火炉里没有被烧死？

　　a) 因为他有一副火眼金睛。

　　b) 因为他躲在风口处。

　　c) 因为他有十八般武艺。

　　d) 因为他能把毫毛变成猴子。

3. 孙悟空最后 _____。

　　a) 被压在五行山下

　　b) 一个筋斗跳出了如来佛的手掌

　　c) 逃脱了如来佛的控制

　　d) 逃走了，谁也抓不住他

配对(动词解释)：

1. 扣	a. 用绳子把东西缠住打结
2. 拥	b. 围着；抱
3. 捆	c. 套住
4. 躲	d. 上下或者里外交换位置
5. 压	e. 对物体由上向下施压力
6. 跳	f. 腿上用力，使身体突然离开所在的地方
7. 翻	g. 藏起来，使别人看不见

4. 为什么十万天兵天将打不过孙悟空？

　　a) 因为孙悟空能一个筋斗跳出十万八千里。

　　b) 因为孙悟空能变出成千上万只猴子跟他们打斗。

　　c) 因为观音菩萨保佑他。

　　d) 因为如来佛把他保护了起来。

阅读(六) 玄奘

1 根据课文回答下列问题

1. 唐僧是谁？
2. 唐僧去西天取经是否确有此事？
3. 他几岁开始当了和尚？
4. 他为什么要去印度取经？
5. 唐僧取经一共花了多少年？
6. 取经回来后唐僧做了些什么工作？
7. 《大唐西域记》是一本什么样的书？

2 配图

1. 竖琴
2. 单簧管
3. 萨克斯管
4. 小号
5. 手风琴
6. 木琴
7. 琵琶
8. 笛子
9. 锣
10. 鼓

3 哪个字正确

1. 我哥哥支持/诗皇家马德里球队，每场比赛他都看。
2. 她擅长画画儿，尤/龙其是油画。
3. 昨天上学的路上我亲眼看到了一场车锅/祸。
4. 天气频/预报说今明两天有小到中雪。
5. 唐玄奘取经回来后翻译/择了75部佛经。
6. 他的小小说《童话成真》获得了全市中、小学作文比赛一等奖/将。

4 词汇扩展

① 仰 {
敬仰
仰起头
仰望
仰泳
}

② 漠 {
淡漠
漠不关心
漠视一切
}

③ 源 {
饮水思源
贷源
资源
财源
病源
源头
源远流长
}

④ 译 {
直译
意译
英译本
译码
译文
}

⑤ 虚 {
名不虚传
弄虚作假
体虚
心虚
虚心
虚度年华
虚度光阴
虚汗
虚惊一场
空虚
}

5 配对

1. 六亲不认	a. 形容零散，不完整，不集中的样子。
2. 六神无主	b. 形容不讲情面，毫无情义。
3. 七零八落	c. 形容心情起伏不定，心神不安。
4. 七上八下	d. 形容心慌意乱，没有主意。
5. 七手八脚	e. 形容非常混乱，毫无条理。
6. 乱七八糟	f. 形容人多嘴杂，议论纷纷。
7. 七嘴八舌	g. 形容勉强凑合起来。
8. 七拼八凑	h. 形容人多手杂，动作忙乱。

6 解释下列词语(注意带点的字)

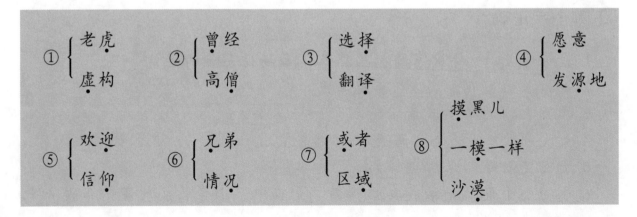

① {
老虎
虚构
}

② {
曾经
高僧
}

③ {
选择
翻译
}

④ {
愿意
发源地
}

⑤ {
欢迎
信仰
}

⑥ {
兄弟
情况
}

⑦ {
或者
区域
}

⑧ {
摸黑儿
一模一样
沙漠
}

第二单元 复习、测验

1 解释下列词语

1 名词

（各列词语，自上而下、自左而右）

- 媒体、节奏、消息、学说、仁、思维、天鹅、半夜、观点、农村、车祸、物产
- 网络、效率、广播、志向、著作、神话、湖、观众、百姓、儒、结合、社会
- 世纪、信息、财经、背景、言论、明星、主角、哲学、物质、影片、童话、名流
- 人类、眼界、报道、形象、球迷、影星、话剧、学者、享受、英雄、婚姻、导演
- 通讯、思路、情况、知识、嗜好、内容、专业、个性、本、王妃、机构
- 资讯、革命、频道、沙漠、寺院、高僧、演员、宗教、万物、信仰、礼服
- 方式、作用、选择、行动、佛教、拉丁、球类、经典、板球、学派、人生(观)
- 故事片、旅途、末期、王室、王域、摄影师、创始人、发源地、贡献、基础
- 互联网、电(子)邮(件)、收音机、民间舞蹈、俱乐部、宇宙(观)、动作片、天气预报、科幻片、芭蕾舞、武打片

2 动词

- 共享、携带、孝顺、赢、损害、告终、旅行
- 生存、浏览、整理、欢呼、轮流、筹款、游历
- 交往、休闲、编写、叫好、更替、捐献、求教
- 出现、翻、求学、输、赶上、拍卖、历经
- 提高、消磨、做人、兴、扫、分配、愿意、穿越
- 开阔、取代、熟悉、阅读、获奖、约束、周游
- 交流、产生、擅长、总结、执导、塑造、记录
- 发生、主张、编排、有关、进军、进取、享年
- 发挥、要求、支持、流传、参与、虚构
- 便于、尊敬、爬、追求、离婚、翻译

3 形容词

- 广泛、普及、深远、远大、十足、唯一、勤奋、贪婪、杰出
- 最佳、已故、美丽、不幸、富有、慈善、实际、满足

4 副词

极其　曾经　尤其　其实

5 连词

不论

6 短语

有教无类　学而时习　学而不厌　诲人不倦　土生土长　贪婪招祸　知足长乐
物极必反　平易近人

2 找反义词

1. 普及 ＿＿＿＿＿＿
2. 支持 ＿＿＿＿＿＿
3. 结合 ＿＿＿＿＿＿
4. 虚假 ＿＿＿＿＿＿
5. 杰出 ＿＿＿＿＿＿
6. 物质 ＿＿＿＿＿＿
7. 清闲 ＿＿＿＿＿＿
8. 约束 ＿＿＿＿＿＿
9. 美丽 ＿＿＿＿＿＿
10. 实际 ＿＿＿＿＿＿

放任	提高	分离
反对	理论	繁忙
真实	难看	平凡
精神		

3 配对(动宾搭配)

1. 提高
2. 开阔
3. 携带
4. 消磨
5. 主张
6. 熟悉
7. 总结
8. 追求
9. 参与
10. 满足

a. 学生的眼界
b. 自由、平等
c. 课本内容
d. 完美的境界
e. 办事效率
f. 慈善活动
g. 大好时光
h. 手提行李
i. 顾客的要求
j. 前人的经验

4 配对(词语解释)

1. 勤劳
2. 祖宗
3. 雄心
4. 执意
5. 联络
6. 演奏
7. 效果
8. 挑选
9. 顺利
10. 虚心

a. 一个家族的上辈,多指较早的
b. 接上关系
c. 由于某种力量、做法或因素产生的结果
d. 从几个人或事物中找出适合要求的
e. 远大的理想和抱负
f. 努力劳动,不怕辛苦
g. 在事物的发展或工作的进行中没有或很少遇到困难
h. 坚持自己的意见
i. 不自以为是,能接受别人的意见
j. 用乐器表演

5 翻译

1. 在护士们的悉心照顾下,爷爷很快就康复出院了。
2. 来自世界各地的佳丽聚在伦敦,为世界选美比赛作准备。
3. 市政府正在进一步改善市内的交通设施。
4. 网络的出现为现代通讯带来了一次革命。
5. 昨天的那场芭蕾舞演出不太成功,大部分观众看后感到很扫兴。
6. 我们学校每年都举办好几次慈善活动。
7. 我经常阅读有关医学的书籍。
8. 中国有句古话:"虚心使人进步。"
9. 他父母的婚姻很不幸,在他还不到三岁时他们就离婚了。
10. 我们学校的戏剧老师编导的话剧很有专业水平。

6 根据你自己的情况回答下列问题

1. 你喜欢哪个影星？为什么？
2. 你喜欢哪个球星？为什么？
3. 你最喜欢的名人是谁？你为什么喜欢他／她？
4. 你知道哪几个历史人物？讲一讲其中的一个。
5. 你通常从哪种媒体获得新闻？
6. 你最关心哪方面的消息？
7. 你最近有没有去看电影？讲一下你最近看过的一部电影。
8. 你今年参与过哪些慈善活动？你组织过筹款活动吗？
9. 你在学校演过话剧吗？在剧中扮演过什么角色？你演得怎么样？
10. 你对"追星族"怎么看？谈谈你的观点。

7 阅读理解

李奥纳多·迪卡皮欧 (Leonardo DiCaprio) 于1974年11月11日出生在美国的洛杉矶。他父亲是意大利人，母亲是德国人，但他父母在他还不满一岁时便离婚了。

说起他的名字还有一段小小的故事。据说他妈妈怀孕时，参观一个画廊，当她来到意大利著名画家达芬奇 (Leonardo da Vinci) 的画前时，李奥纳多踢了他妈妈几脚，妈妈心领神会①，便给他起名李奥纳多。

李奥纳多上中学时算不上是一个好学生。他不爱上数学课，不做作业，考试时还作弊②，但他喜欢跳舞、演戏。14岁那年，他开始在广告片和教育片中亮相。拍了三十部广告后，他便获得了演出电视剧的机会。两年后他更在电视剧《成长的烦恼》(Growing Pains) 里演一个无家流浪③儿的配角④角色，并开始引人注意。他给人留下最深印象的恐怕要算他在《铁达尼号》中扮演的那位向往自由、生性不羁⑤的俊美画家了。他引人入胜、扣人心弦⑥的表演，使他获得了金球奖最佳男演员奖提名。

根据上文选择正确答案：

1. 李奥纳多的名字是 _____ 。

   a) 他父亲给他起的

   b) 他出生后父母给他起的

   c) 他母亲看过达芬奇的画后给他起的

   d) 他不满一岁时妈妈给他起的

2. 李奥纳多在《铁达尼号》中 _____。

　　a) 扮演了一位画家

　　b) 演了一个配角

　　c) 的表演不算出色

　　d) 扮演的角色没给人留下什么印象

回答下列问题：

　　1. 李奥纳多父母的婚姻幸福吗？为什么？

　　2. 他的名字是根据谁的名字而来的？

　　3. 他在中学阶段是个什么样的学生？

　　4. 他的演艺生涯是怎样开始的？

　　5. 他演的什么角色开始引人注意？

　　6. 他在《铁达尼号》中的成功表演为他赢得了什么荣誉？

配对(词语解释)：

1. 心领神会	a. 戏剧、电影等艺术表演中的次要角色
2. 作弊	b. 形容表演有号召力，使人心情激动
3. 流浪	c. 用欺骗的方法做不合规定的事情
4. 配角	d. 深刻地体会
5. 不羁	e. 生活没有着落，到处转移，随地谋生
6. 扣人心弦	f. 不受拘束

8 写作

用至少250个字写一篇关于媒体的文章，内容必须包括：

－你每天从哪里获得当天的新闻

－每天了解新闻有必要吗，为什么

－电视、报纸、电脑和广播各有什么好处

－你最喜欢哪种媒体，为什么

第三单元　青年一代

第七课　青年人的烦恼

1 哪段录像更适合

1. 朱元生父母最近离婚了，母亲已经搬出去住了。他不知道该怎样处理跟父母的关系。他应该看＿＿＿。

2. 梁英性格内向，平时很少说话，总觉得别人都比她强。她应该看＿＿＿。

3. 张亮性格内向，经常苦恼交不到朋友，特别是异性朋友。他应该看＿＿＿。

4. 唐亚军在社会上交了一些朋友，这些朋友有时候会让他去做一些他不愿意做的事。他应该看＿＿＿。

5. 肖红学习非常用功，但考试成绩总是不太理想。她应该看＿＿＿。

6. 高志伟的女朋友最近跟他分手了，他很苦恼。他应该看＿＿＿。

7. 齐同的父母对他要求很严格，他总是觉得没有自由，经常跟父母争吵。他应该看＿＿＿。

A 面	B 面
1. 自杀问题	1. 青少年离家出走
2. 游手好闲的青少年	2. 金钱教育
3. 吸毒	3. 黑社会影响
4. 讲粗话	4. 厌食症
5. 行为不规	5. 狂饮症
6. 性教育	6. 色情片
7. 怎样交异性朋友	7. 恋爱与失恋
8. 怎样与父母沟通	8. 做义工
9. 树立自我形象	9. 逃学
10. 增强自信	10. 怎样关心子女的成长
11. 怎样应付考试压力	11. 交不到朋友怎么办
12. 学习方法与效果	12. 父母离婚，子女怎样正确对待
13. 怎样过一个充实的暑假	13. 怎样处理同学之间、朋友之间的关系

从年轻人的角度看家长

查字典：

我们觉得现在的家长①在教育子女的问题上往往②与现实脱勾。俗话说"望子成龙"，我们完全能理解每个家长都希望③自己的孩子超过父母亲的心情，但是④他们是否想过不是每个人都能在各个方面得第一，不是每个孩子都能当领袖，也不是每个孩子在艺术、音乐、体育等方面都有天赋的。

说实在的⑤，生活在现代的年轻人在没有涉足社会以前，他们的精神压力远比他们父母想象的大。因为现在的竞争越来越激烈，学生除了要学好各门功课以外，还要具备各种技能。有相当一部分青少年几乎⑥没有童年，整天在学这学那。

有些父母对他们子女交的朋友不放心，总是问这问那，无形中父母和子女之间就缺少了相互信任。

父母常常拿自己的孩子跟其他孩子比较。如果自己的孩子比其他孩子好，他们觉得脸上有光，很自豪。如果自己的孩子不如其他孩子，他们会觉得丢脸⑦。如果孩子的考试成绩不理想，他们会生气⑧、失望。

我们希望大人们从孩子的角度来理解孩子，相信孩子，让孩子有机会表现自己。

1. 脱勾
2. 领袖
3. 天赋
4. 涉足
5. 竞争
6. 激烈
7. 具备
8. 自豪
9. 失望

评论一下你父母在以下四个方面的做法（各举一个例子）：

1. 你父母是否对你期望过高？

2. 你父母是否理解你在生活和学习上的压力？

3. 你父母是否对你管教太严？

4. 你父母是否经常拿你跟其他孩子比？

选择同义词：

1. a) 家庭　b) 父母　c) 家父
2. a) 一直　b) 往常　c) 通常
3. a) 期望　b) 觉得　c) 相信
4. a) 只是　b) 却　　c) 可是
5. a) 实际　b) 其实　c) 确实
6. a) 差不多　b) 总是
　　c) 差一点儿
7. a) 害羞　　b) 没有情面
　　c) 没面子
8. a) 出气　b) 发火　c) 自卑

3 用所给词填空

<table>
<tr><td rowspan="3">的

地

得</td><td>1. 他常常抱怨他妈妈对他管____太严格。</td></tr>
</table>

的　地　得

1. 他常常抱怨他妈妈对他管____太严格。
2. 妹妹遗憾____说她新买____傻瓜相机被人偷了。
3. 他顺利____通过了钢琴八级考试。
4. 明代小说《西游记》里____故事是虚构____。
5. 他最近一次期末数学考试考____不太理想。
6. 现在____学生学习压力很大，经常有考试。
7. 他很骄傲自大，自以为了不起，还经常欺负年纪小____同学。
8. 今年____暑假我过____非常愉快。

4 把你知道的或者学过的关于性格的词语写出来

心地善良　乐于助人　幽默

5 偏旁部首与汉字

偏旁	读法	意义	写出以下字的意思			
纟	绞丝旁	多与丝线有关，有的表示颜色	织 纸	线 绣	细 红	纤维 绿
钅	金字旁	多与金属制品有关	铁 银	钢 钟	针 钱	锅
木	木字旁	多与树木有关	板 材	松 桌	树 果	椅 林
囗	大口框	有围起来的意思	园	图	圈	团

6 续作

压　力

在人生的不同阶段会遇到各种压力。学生有考试、升学的压力，成人有工作上的压力。_____

_____

_____

_____

压力也可以说是一种动力,而动力在一个人的前进道路上是必要的。_____

_____

_____

_____

有些人承受不了太大的压力。_____

_____

_____

如何面对压力是一门学问。_____

_____

> **参考语句:**
> - 有些人在某种压力下会精神紧张
> - 过多的压力会带来反作用
> - 有些人不需要压力也能自觉进步
> - 定下目标，朝着这个方向努力
> - 对于坚强的人来说，压力会变成动力
> - 压力对一个人是有利还是有害，这主要看你怎样去面对
> - 天无绝人之路
> - 车到山前必有路，再难的事总有解决的办法
> - 让压力激励自己而不是摧毁自己
> - 如果没有压力，人会变得懒懒散散
> - 压力有其积极的一面，也有其消极的一面

7 解释下列词语(注意带点的字)

① { 电脑 / 烦恼 }

② { 着急 / 稳定 }

③ { 或者 / 情绪 }

④ { 变化 / 恋爱 }

⑤ { 表示 / 人际 }

⑥ { 差别 / 害羞 }

⑦ { 名牌 / 自卑 }

⑧ { 星期 / 欺负 }

⑨ { 铁桥 / 骄傲 }

⑩ { 和平 / 自私 }

⑪ { 介绍 / 阶段 }

⑫ { 预习 / 给予 }

8 词汇扩展

①异
- 同父异母
- 特异功能
- 离异
- 优异成绩
- 异常
- 身居异乡

②恋
- 初恋
- 早恋
- 失恋
- 恋人
- 婚外恋
- 恋恋不舍
- 恋情

③绪
- 千头万绪
- 一切就绪
- 绪言

④稳
- 稳步发展
- 稳当
- 稳健
- 稳拿金牌
- 稳重大方

⑤沟
- 排水沟
- 阴沟

⑥怨
- 结怨
- 不计恩怨
- 任劳任怨
- 怨气冲天
- 怨天尤人
- 满口怨言

⑦某
- 某年
- 某月
- 某人
- 某某
- 某些

⑧欺
- 以大欺小
- 欺软怕硬
- 欺人太甚
- 欺生
- 欺压

⑨骄
- 骄傲自满
- 胜而不骄
- 骄气十足

⑩阶
- 台阶
- 各个阶层
- 阶段
- 阶级
- 阶梯

⑪怀
- 正中下怀
- 怀有私心
- 怀抱
- 怀旧
- 怀恋
- 怀念

⑫懒
- 懒虫
- 懒汉
- 懒散
- 懒洋洋
- 偷懒
- 好吃懒做

⑬负
- 负伤
- 身负重伤
- 负增长
- 负数

⑭傲
- 居功自傲
- 傲慢无礼
- 傲气十足

⑮私
- 公私不分
- 公私分明
- 自私自利
- 大公无私
- 走私
- 私藏
- 私人财产
- 私底下
- 私房
- 私生子
- 私家住宅
- 干私活
- 私交
- 私了
- 私人
- 私生活
- 私事
- 私心
- 私自

9 阅读理解

十 七 岁

　　每个人都有金子般的十七岁。十七岁是如诗如梦的年龄。这时的年轻人刚刚脱离无忧无虑的童年，向往着成熟独立的成年。

　　十七岁的青少年对未来充满幻想，幻想做歌星、画家，做设计师……。

　　十七岁的青少年渴望恋爱，在心里开始编织一个个童话般的梦。

　　十七岁的青少年渴望得到自由，做自己想做的事，不希望父母、学校管得太多、太紧。

　　十七岁的青少年崇拜偶像，崇拜到痴迷、疯狂。

　　十七岁的青少年也要面对恼人的压力：功课、考试、升学……

　　十七岁的青少年站在人生的十字路口，要睁大眼睛看清前面的路程，要用大脑对是非作出判断。

查字典：

1. 无忧无虑
2. 幻想
3. 渴望
4. 编织
5. 崇拜
6. 偶像
7. 痴迷
8. 疯狂
9. 面对
10. 判断

根据你自己的情况回答下列问题：

　　1. 你有什么样的烦恼？

　　2. 什么是你理想的职业？

　　3. 你崇拜谁？为什么？

　　4. 你希望十年以后你在干什么？

10 写一写

　　1. 知心朋友：我认为知心朋友是在你有困难的时候能助你一臂之力的朋友。

　　2. 教师：做教师要有耐心，

　　3. 服务员：＿＿＿＿＿＿＿＿＿＿＿＿＿

　　4. 医生：＿＿＿＿＿＿＿＿＿＿＿＿＿

　　5. 市长：＿＿＿＿＿＿＿＿＿＿＿＿＿

参考词语：

平易近人	幽默
独立	善良
依赖	准时
可靠	忠诚
能力	有耐心

11 配对

1. 马到成功

2. 走马观花

3. 招兵买马

4. 汗马功劳

5. 马马虎虎

6. 死马当作活马医

7. 路遥知马力，
　　日久见人心

a. 比喻扩充人力，壮大队伍。

b. 形容极其迅速地获得胜利或成功。

c. 比喻观察事物不深入，十分粗略。

d. 比喻做事草率、随便。

e. 比喻已知道事情成功的可能性很小，但仍作最后努力。

f. 原指在战争中立下的功劳，后指工作成绩。

g. 比喻时间长了才能看清一个人的真面目。

12 翻译

1. 进入青春期，大部分青少年的心理会发生一些变化，有些人好像变了一个人。

2. 有些青少年过早谈恋爱，往往处理不好男女之间的感情。

3. 她比较害羞，很怕跟异性交往。

4. 她最近不仅穿着打扮变了样，甚至连言行举止也跟以前不一样了。

5. 从某种意义上来说，一个人有压力并不是一件坏事，有时候压力可以变成动力。

6. 李连杰在中学期间就已经成为全国闻名的武术高手了。

7. 社会、学校和其他社团应该更加关怀那些失足青年，使他们能有机会重新做人。

8. 我们应该抱着积极向上的态度来对待生活中的困难。

13 找反义词

1. 温和 _____　　7. 配角 _____

2. 面前 _____　　8. 内政 _____

3. 当心 _____　　9. 轻松 _____

4. 倒退 _____　　10. 人造 _____

5. 活泼 _____　　11. 肉体 _____

6. 普及 _____　　12. 吃苦 _____

背后	主角	前进
外交	享受	精神
大意	粗鲁	提高
紧张	天然	死板

14 发表你的观点

① 　　我的父亲是个好人。他没有什么嗜好，不抽烟，不喝酒，只是整天坐在他的书桌前写书，他是个作家。他在不在家里没有什么分别。我有时候很想跟他聊聊，但不知道怎么开口。他是个很古板、严肃和传统的父亲。

用什么方法才能使他们父女俩亲近些?

从文中找出同义词：

1. 爱好 _____
2. 一天到晚 _____
3. 谈谈 _____
4. 吸烟 _____
5. 区别 _____

② 　　我是一个中四学生。我在学习上已经尽了全力，但是学习成绩总是在中上，达不到父母对我的要求。他们希望我能考到全年级前五名，这样才有希望上名校。为了我的学业不受影响，他们从来都不让我做家务，还花很多钱为我请家教。我真担心我会辜负他们的期望。我几次想到过自杀。

怎样才能让父母明白子女的痛苦?

造句：

1. 要求
2. 希望
3. 影响

③ 　　我是一个十二年级的学生，有一个弟弟、一个妹妹，他们都在上小学。我父母都经商。爸爸经常出差去东南亚，而妈妈是一家有名的化妆品公司的总经理，常驻法国巴黎。我和弟妹一直跟爷爷、奶奶住在一起。我的苦恼是我跟爷爷、奶奶有代沟，在很多事情上很难沟通，而弟妹还小，很幼稚，我身边没有一个能说说知心话的人。

什么方法能使她父母有更多的时间与孩子们在一起?

接词：

1. 学生 →
2. 经商 →
3. 沟通 →

15 作文

写一篇关于青少年约会的文章，内容必须包括：

- 你觉得什么年龄跟异性约会最合适
- 在哪些场合，通过什么途径才能认识异性
- 去哪儿约会，什么时候约会比较好
- 父母对子女约会的态度应该怎样

16 阅读理解

① 我妈妈是个很有 ＿＿＿＿① 的人。她整天都在我和弟弟旁边打转，＿＿＿＿② 都要管，什么事都不放心。为了我和弟弟的学业，她放弃了工作，她说她现在的 ＿＿＿＿③ 任务是把我和弟弟送进美国的一流大学。从我上小学开始，她就希望我今后能当律师，因为我家很多亲戚都是律师。但她没有 ＿＿＿＿④ 人与人是不一样的。我对法律一点儿都不 ＿＿＿＿⑤，我觉得当律师很枯燥，忙得要命。我性格 ＿＿＿＿⑥ 内向，不喜欢在人多的 ＿＿＿＿⑦ 说话。我不想当律师，这真让我烦恼！

选择填空：

1. a) 热爱　　b) 苦心　　c) 爱心
2. a) 有事儿　b) 什么事　c) 事情
3. a) 主要　　b) 工作　　c) 事业
4. a) 期待　　b) 原谅　　c) 想到
5. a) 热心　　b) 关怀　　c) 感兴趣
6. a) 甚至　　b) 比较　　c) 尤其
7. a) 场合　　b) 方面　　c) 机构

---

② 我从小喜欢跳舞，所以我 ＿＿＿＿① 长大后当一名舞蹈家。＿＿＿＿② 妈妈不支持我的想法，她还说练跳舞是 ＿＿＿＿③ 有一个好身材，跳舞只能作为一种爱好，不能作为一种职业。妈妈认为当演员是吃"青春饭"，年纪大了就没有工作了。＿＿＿＿④，自从我上了中学后，妈妈就不让我学跳舞，＿＿＿＿⑤ 让我读书，希望我以后考上名校，学经济管理 ＿＿＿＿⑥。为此我经常跟妈妈 ＿＿＿＿⑦，我真的很烦恼。

1. a) 追求　　b) 立志　　c) 志向
2. a) 但是　　b) 虽然　　c) 因此
3. a) 为了　　b) 因为　　c) 不如
4. a) 因为　　b) 因此　　c) 尽管
5. a) 很少　　b) 整天　　c) 仅仅
6. a) 行业　　b) 系　　　c) 专业
7. a) 沟通　　b) 争吵　　c) 求教

---

③ 我很喜欢画画儿。＿＿＿＿① 何时何地，只要看到什么就想画什么。在学校里，＿＿＿＿② 的科目中，我美术学得最好，而 ＿＿＿＿③ 科目的成绩则平平。我一心想将来做个画家，可是我父母亲对我的爱好 ＿＿＿＿④ 不鼓励，反倒泼冷水，说画家没有固定收入，＿＿＿＿⑤ 生活得不到保障。他们希望我学医，认为做医生收入高、工作 ＿＿＿＿⑥。他们 ＿＿＿＿⑦ 就不明白我不是做医生的料。

1. a) 不仅　　b) 无论　　c) 而且
2. a) 所有　　b) 共同　　c) 一切
3. a) 那些　　b) 其他　　c) 另外
4. a) 不但　　b) 而且　　c) 虽然
5. a) 将来　　b) 后期　　c) 当时
6. a) 勤奋　　b) 稳定　　c) 幸福
7. a) 根本　　b) 原来　　c) 本来

17 阅读理解

从家长的角度看现在的年轻人

现在很多家长对年轻人很有看法。第一，由于物质生活条件比较优越，现在的年轻人不愁吃、不愁穿，所以不知道"苦"是什么滋味。他们往往在生活上很浪费，花钱大手大脚。有些青少年经受不住物质引诱，别人有的东西他们也想要，很少体谅父母赚钱难的苦衷。第二，有些年轻人没有理想，"做一天和尚撞一天钟"。学习成绩不好也感受不到压力。第三，有些年轻人没有斗志，做事没有毅力，经不起挫折，遇到困难就退却，缺乏积极向上的精神。第四，有些青少年在家里被宠惯了，个性很强，养成了不顾及别人的习惯，很难跟人合作。第五，有些年轻人自律能力很差，自己管不住自己。在学习方面要等着老师和家长的催促，自己没有计划，总的来说没有紧迫感。

你自己检讨一下在以下五个方面做得怎样?

1. 花钱 _____

2. 理想 _____

3. 毅力 _____

4. 团队精神 _____

5. 自律能力 _____

查字典：

1. 优越
2. 愁
3. 滋味
4. 浪费
5. 大手大脚
6. 引诱
7. 体谅
8. 苦衷
9. 斗志
10. 毅力
11. 挫折
12. 退却
13. 缺乏
14. 精神
15. 顾及
16. 自律
17. 催促
18. 紧迫

18 作文

写一篇关于现在的年轻人与他们父母的代沟问题,内容必须包括:

- 子女与家长在哪些方面存在着代沟
- 怎样使子女与家长能够更好地沟通, 有哪些途径
- 组织一些什么样的活动能使父母与子女的关系更和谐

19 《西游记》连载(七) 悟空脱难

大圣被压在五行山下已经有五百年了。唐朝和尚玄奘去西天取①经时路过五行山,听到大圣高喊②:"师父,快救③救我。"唐僧说:"我怎么能救你呢?"大圣说:"你只要把山顶上那张帖子取下,我自己就可以出来了。如果你救了我,我愿意做你的徒弟。"不出所料,唐僧一揭④下帖子,五行山就马上裂⑤开了,大圣也跳了出来。唐僧给大圣取名孙行者。师徒两人便高高兴兴地往西行。走出不久,一只老虎朝他们奔⑥来,行者用金箍棒一下子把老虎打死。再走了一阵,有六个强盗拦⑦住了他们,行者舞起金箍棒,三下两下就把六个强盗统统都打死了。唐僧见行者杀了那么多生灵,认为他太凶,管不住他。

一天,行者去找吃的东西,唐僧一个人坐在路边等他。一个老太婆给了唐僧一顶花帽和一篇紧箍咒,并告诉唐僧叫徒弟戴上花帽,如果徒弟不听话,暗念紧箍咒就可以把他管住。于是,唐僧就把花帽戴在行者头上,暗念紧箍咒,行者的头疼得在地上直打滚⑧。紧箍帽戴在行者的头上再也取不下来了,行者求师父别再念咒了,并保证今后一定听话。

根据上文判断哪句话正确:

1. a) 玄奘特意来到五行山下救悟空。
   b) 玄奘碰巧听到悟空在喊救命。
   c) 玄奘先看到悟空压在山下,然后听到他叫救命。
   d) 玄奘早就听说悟空被压在五行山下。

2. a) 玄奘立刻把悟空救了出来。
   b) 玄奘早就知道怎样救悟空。
   c) 如果玄奘救了悟空,悟空愿意以做他的徒弟作为交换条件。
   d) 玄奘用力把五行山推倒,然后救出了悟空。

3. a) 要救出悟空,揭下贴在山顶上的帖子是关键。
   b) 玄奘请求如来佛放了悟空。
   c) 玄奘不想收悟空做他的徒弟。
   d) 玄奘不想救悟空。

配对(动词解释):

1. 取	a. 不让通过
2. 喊	b. 大声叫
3. 救	c. 衣服破了
4. 揭	d. 使脱离危险或灾难
5. 裂	e. 大声地哭
6. 奔	f. 把粘在别的物体上的片状物拿下来
7. 拦	g. 破成两部分或几部分
8. 滚	h. 直向目的地走去
	i. 拿到身边
	j. 翻转

4. a) 最后紧箍帽和紧箍咒把行者管得服服帖帖。
   b) 紧箍咒是一顶花帽变的。
   c) 唐僧保证白天不念紧箍咒。
   d) 孙行者自己能摘下紧箍帽。

阅读(七)　秦始皇

1 根据课文判断正误

☐ 1) 秦始皇十三岁开始执政。

☐ 2) 因为他是中国历史上第一个皇帝，所以人们叫他秦始皇。

☐ 3) 在执政期间，秦始皇只统一了文字和度量衡。

☐ 4) 秦始皇是第一个修建长城的人。

☐ 5) 秦始皇是个心地善良、通情达理的人。

☐ 6) 秦始皇动用了三十多万人，用了十年的时间给自己造了一座坟墓。

2 配图

1. 棒球　　6. 拳击

2. 壁球　　7. 柔道

3. 橄榄球　8. 举重

4. 曲棍球　9. 跳伞

5. 冰球　　10. 潜水

3 配对

1. 半斤八两

2. 胡说八道

3. 八仙过海，各显神通

4. 八九不离十

a. 指没有根据、不负责任地乱说。

b. 形容预料的事情很接近实际情况。

c. 比喻彼此一样，不相上下。

d. 比喻在完成共同的事业中各人拿出一套办法或本领，互相竞争、互相比美。

4 词汇扩展

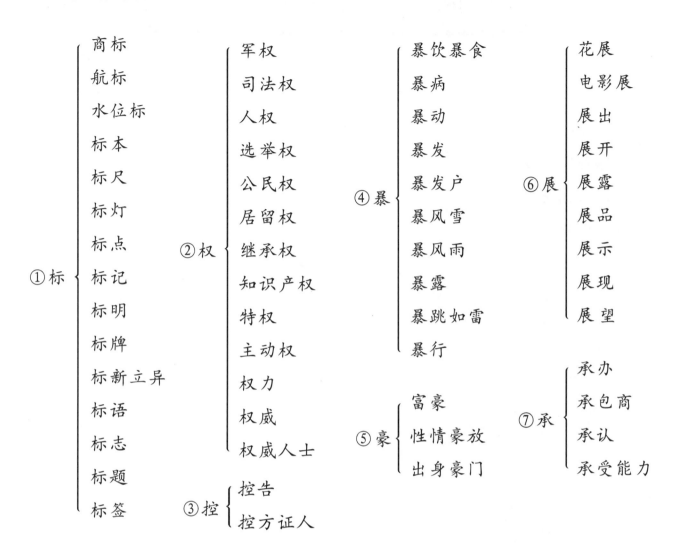

①标 ⎰ 商标 / 航标 / 水位标 / 标本 / 标尺 / 标灯 / 标点 / 标记 / 标明 / 标牌 / 标新立异 / 标语 / 标志 / 标题 / 标签

②权 ⎰ 军权 / 司法权 / 人权 / 选举权 / 公民权 / 居留权 / 继承权 / 知识产权 / 特权 / 主动权 / 权力 / 权威 / 权威人士

③控 ⎰ 控告 / 控方证人

④暴 ⎰ 暴饮暴食 / 暴病 / 暴动 / 暴发 / 暴发户 / 暴风雪 / 暴风雨 / 暴露 / 暴跳如雷 / 暴行

⑤豪 ⎰ 富豪 / 性情豪放 / 出身豪门

⑥展 ⎰ 花展 / 电影展 / 展出 / 展开 / 展露 / 展品 / 展示 / 展现 / 展望

⑦承 ⎰ 承办 / 承包商 / 承认 / 承受能力

5 解释下列词语（注意带点的字）

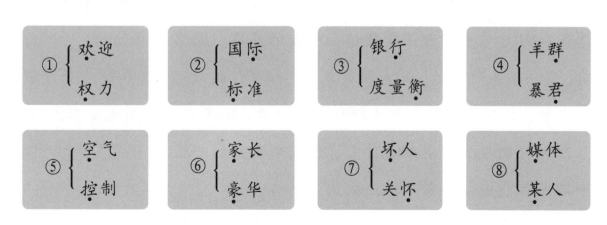

① ⎰ 欢迎 / 权力

② ⎰ 国际 / 标准

③ ⎰ 银行 / 度量衡

④ ⎰ 羊群 / 暴君

⑤ ⎰ 空气 / 控制

⑥ ⎰ 家长 / 豪华

⑦ ⎰ 坏人 / 关怀

⑧ ⎰ 媒体 / 某人

第八课　不良言行与犯罪

1 写一写

喜欢喝酒的人会说："喝酒可以使我……" • 感到很放松 • 减轻痛苦 • 减少烦恼 • 忘记自己的问题 • 觉得像个成人 • 觉得更坚强 • 感觉更酷 • 成为朋友们的一分子 • 有机会跟朋友聊天、说说笑笑	不喜欢喝酒的人会说："喝酒……" • • • • • • • • •

2 翻译

1. 抽二手烟同样会危害身体健康。

2. 学校规定学生在校期间禁止使用手机。

3. 最近本地有一个无业青年，在街上做非法买卖，昨天已被警方抓获。

4. 最近互联网上有一黑客正在散播一种新的病毒，请各用户注意。

5. 目前，有一杀人犯在逃，此人极其危险。如有任何情况，请尽快与警方联系。

6. 今天中午，本市一小学三十名师生食物中毒，中毒者目前尚无生命危险。根据医院的化验报告证实，他们吃了含有老鼠药的午饭。

7. 如今很多公众场合都有"禁止吸烟"的告示。

8. 最近，由于经济不景气，本市失业人数还在上升，犯罪人数也在增加。

9. 本院内禁止使用手机、照相机和摄像机，违者罚款。

10. 地铁内禁止饮食，违者罚款 5,000 元。

3 调查

你跟父母之间有代沟吗？

现　象	总是	常常	很少
1. 父母认为你还是一个不懂事的孩子，缺乏生活经验。			
2. 他们对待你的方式跟以前一样：一切包办。			
3. 父母教训你的话没有道理。			
4. 你理解、尊重父母的想法、说法和做法。			
5. 父母觉得你太任性，听不进别人的意见。			
6. 你与父母之间的交流太少。			
7. 你与父母聊他们青少年时期的想法和愿望。			
8. 你信任父母亲，他们做什么事情都是为你好。			
9. 你想分担家务，可是父母不信任你。			
10. 遇到任何事，你会跟父母商量，听取他们的意见。			
11. 如果你觉得父母说得不对，你会跟他们顶嘴。			
12. 你觉得你已经长大了，有能力独立处理事情。			
13. 你不会跟父母一起出去逛街、买东西。			
14. 你觉得父母谈话中用的词语都过时了。			
15. 你觉得父母打扮不入时。			

4 偏旁部首与汉字

偏旁	读法	意义	写出以下字的意思			
𧾷	足字部	多与脚有关	跑	跳	跟	踢
禾	禾字旁	多与农作物有关	秋	季	种	香
矢	矢字旁	多与箭有关	医	短	矮	
皿	皿字底	多与器皿有关	盒	盖	盘	
田	田字旁	多与田地农务有关	男	界	累	富
贝	贝字部	多与钱有关	购	贷	费	资
王	王字旁	多与玉石有关	理	现		
见	见字部	多与看有关	观	视	览	觉

103

5 在你认为相关的答案旁打 ✓

吸毒对人的身体健康有什么影响?

✓ 1. 控制不住笑

___ 2. 对时间、距离和空间会产生错觉

___ 3. 咳嗽

___ 4. 影响记忆和认知能力

___ 5. 嗓子疼

___ 6. 出汗

___ 7. 注意力不能集中

___ 8. 身体不能保持平衡

___ 9. 呼吸困难

___ 10. 情绪不稳定

___ 11. 发胖

___ 12. 拉肚子

___ 13. 无法入睡

___ 14. 容易兴奋

___ 15. 头晕

___ 16. 发高烧

___ 17. 引起高血压

___ 18. 心跳加快

___ 19. 精神紧张

___ 20. 多话

___ 21. 体温升高

___ 22. 工作、学习没有动力

6 写一写

例子: 关于校内饮酒的校规及处理办法

校 规

1. 在校学生禁止喝酒(十八岁以上的学生可以在特定场合饮酒)。
2. 十八岁以下的学生不可以去酒吧饮酒。
3. 小卖部不可以出售任何含有酒精的饮料。
4. 纵容未成年的学生饮酒是犯法的。
5. 学校在任何场合组织的活动都不应该有酒供应。

处理办法

如果怀疑学生喝酒,······

1. 学校会密切注意事态的发展。
2. 如果情况属实,学校会马上跟家长联系,找该同学谈话,指出饮酒的危害性。
3. 学校会用以理服人的方法先劝告该学生,并给予适当的支持。
4. 如果这学生不改正,先口头警告,然后学校会提出具体的措施让该学生去执行。如果该学生不能满足学校的要求,学校有权开除他／她。

该你了! 制定校规及处理办法:

－经常逃课或逃学

－偷东西

－经常迟到

－不做功课

7 写一写

你能做到以下几点吗?

跟父母沟通的方式	做得到	做不到，为什么?
1.（饭前和饭后）主动跟父母交流，告诉他们当天发生的事情。不管什么事，高兴的、不高兴的，都与他们分享。		
2.每周至少与父母在一起做一件事，比如打球、看电视等，边做事边交谈。		
3.当父母批评你时，先静下来听，然后慢慢想自己是否真的有错。		
4.如果你真的做错了事，主动道歉，这样父母会原谅你的。		
5.与父母发生矛盾时，千万不要顶嘴，更不要耍孩子脾气。		
6.尽量帮父母做一些家务，多体谅父母工作、赚钱、养家的辛苦。		
7.有些事情先跟父母商量，征得同意后再去做。		

8 找反义词

1. 幼稚 _____
2. 危险 _____
3. 错误 _____
4. 吉 _____
5. 利 _____
6. 失望 _____
7. 失业 _____

8. 送别 _____
9. 停止 _____
10. 调皮 _____
11. 天堂 _____
12. 贴近 _____
13. 同 _____

安全　　满意　　就业　　凶

成熟　　老实　　正确　　害

地狱　　迎接　　远离　　异

继续

9 词汇扩展

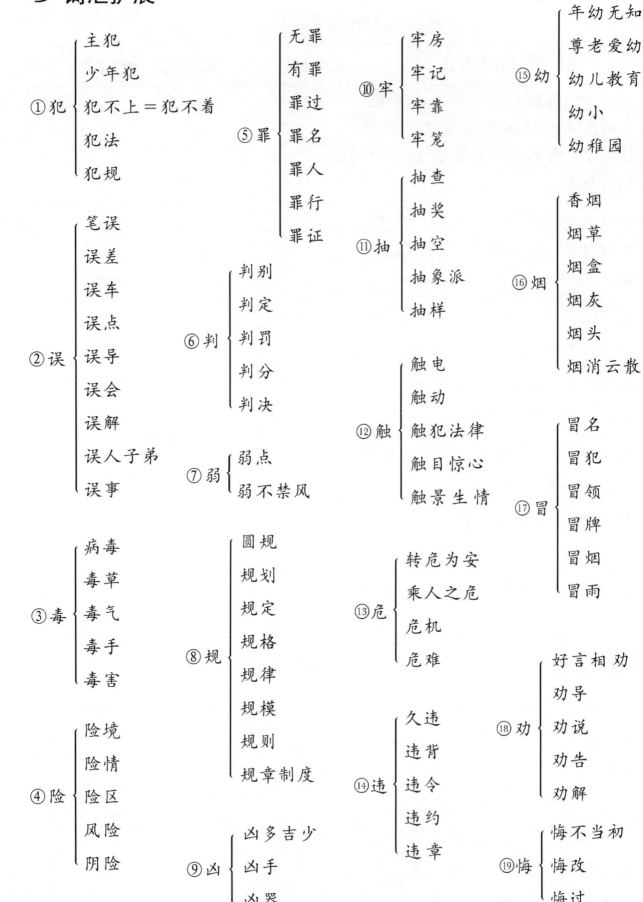

① 犯
- 主犯
- 少年犯
- 犯不上＝犯不着
- 犯法
- 犯规

② 误
- 笔误
- 误差
- 误车
- 误点
- 误导
- 误会
- 误解
- 误人子弟
- 误事

③ 毒
- 病毒
- 毒草
- 毒气
- 毒手
- 毒害

④ 险
- 险境
- 险情
- 险区
- 风险
- 阴险

⑤ 罪
- 无罪
- 有罪
- 罪过
- 罪名
- 罪人
- 罪行
- 罪证

⑥ 判
- 判别
- 判定
- 判罚
- 判分
- 判决

⑦ 弱
- 弱点
- 弱不禁风

⑧ 规
- 圆规
- 规划
- 规定
- 规格
- 规律
- 规模
- 规则
- 规章制度

⑨ 凶
- 凶多吉少
- 凶手
- 凶器

⑩ 牢
- 牢房
- 牢记
- 牢靠
- 牢笼

⑪ 抽
- 抽查
- 抽奖
- 抽空
- 抽象派
- 抽样

⑫ 触
- 触电
- 触动
- 触犯法律
- 触目惊心
- 触景生情

⑬ 危
- 转危为安
- 乘人之危
- 危机
- 危难

⑭ 违
- 久违
- 违背
- 违令
- 违约
- 违章

⑮ 幼
- 年幼无知
- 尊老爱幼
- 幼儿教育
- 幼小
- 幼稚园

⑯ 烟
- 香烟
- 烟草
- 烟盒
- 烟灰
- 烟头
- 烟消云散

⑰ 冒
- 冒名
- 冒犯
- 冒领
- 冒牌
- 冒烟
- 冒雨

⑱ 劝
- 好言相劝
- 劝导
- 劝说
- 劝告
- 劝解

⑲ 悔
- 悔不当初
- 悔改
- 悔过

10 读一读，写一写

在你的生活中什么是最重要的？

① 我最想要的是一张无限量使用的信用卡。我想买什么就可以买什么，我想去哪儿旅游就可以去哪儿。

② 钱在我的心目中很重要，因为请朋友出去玩、去饭店吃饭、看电影、买衣服都需要钱。尤其是当我要付手机帐单时，爸、妈抱怨我手机用得太多，不愿帮我付帐单时，我越来越认识到钱的重要性。

③ 我发现有些人并不富裕，但他们的生活却很充实、很愉快，因为他们知道怎样去奋斗，怎样通过努力而赚到钱。他们非常珍惜通过自己的辛勤劳动而获得的果实。快乐人生出自于奋斗。

④ 钱是很重要，但我觉得家人给我的爱和关心比钱还重要。有些人有很多钱，但他们的生活并不比我快乐。钱不代表一切，钱不一定能买到爱情和家长对你的关怀。

⑤ 对我来说，得到朋友的友情和亲人的亲情是最幸福的。一个人总有遇到困难的时候，这时就需要有人真心地关心你、爱护你和支持你。这种情感是用钱买不到的。

11 写一写

制定相应的规则

1.在学校里：		3.在动物园里：	
●不可以抽烟	●	●	●
●	●	●	●
●	●	●	●
2.在电影院里：		4.在地铁里：	
●	●	●	●
●	●	●	●
●	●	●	●

怎样表扬才会收到好的效果

受中国传统的影响,中国的家长一般不在自己的孩子面前表扬他们。中国人认为当面表扬孩子,他们容易骄傲。实际上,孩子是需要表扬和鼓励的,但在何时何地表扬孩子才能收到好的效果呢?以下是几位家长的建议。

家长1: 表扬的方式要适当。对不同年龄、性别和性格的孩子要用不同的方式去表扬。表扬不光是口头称赞,还可以用其他方式,例如拥抱、微笑、点头等。

家长2: 表扬要对事不对人。要肯定孩子做的事值得表扬,这样孩子就知道今后做这一类事会得到家长的赞扬。

家长3: 表扬要及时,当场肯定他的优点和成绩,不要等几天后再提及,这样的效果会大打折扣。

家长4: 对孩子的每一点进步,哪怕是很小的进步也要表扬,要鼓励他继续朝着这个方向努力。

家长5: 尽量不要在大庭广众或同龄人的面前表扬自己的孩子,否则孩子会养成骄傲自满、爱出风头的性格。

查字典:
1. 表扬
2. 鼓励
3. 性别
4. 拥抱
5. 微笑
6. 点头
7. 赞扬
8. 及时
9. 提及
10. 折扣
11. 自满
12. 出风头

发表你的意见:

1. 在你们家,父母是否经常表扬你?你一般做了什么事情他们才会表扬你?请举一个例子。

2. 他们一般用什么方法来表扬你?你觉得哪种表扬方法对你有效?

3. 他们最近有没有表扬你?是为了一件什么事?

4. 你觉得老师用什么方法表扬学生才能鼓励学生上进?

5. 你觉得表扬太多会不会起到反作用?

6. 学生应该怎样看待老师和家长的表扬?

13 续作：写一篇议论文（以下句子仅供参考）

－ 有钱当然好，但是有钱不等于就有了幸福。希望大家别为钱而活着。

－ 当今社会，钱最重要。做什么事都要钱，连上厕所也要付钱，所以没有钱，怎么生活呢？

－ 有钱人有烦恼，没钱人也有烦恼。如果你有钱，很多亲戚朋友都会围着你转。如果你没有钱，每天要为一日三餐而烦恼。人生就是苦难的历程。

－ 太有钱不是一件好事。如果很有钱，人会变懒，没有进取精神。

－ 有足够的钱解决饮食起居，然后还有一些钱可以去享受人生，那是最理想的。

－ 我希望自己是个有钱人，不用学习、工作。有了钱可以叫别人做事，而我自己可以享受生活乐趣。

－ 现在的年轻人已习惯挥金如土，想买什么就买什么，因为钱不是他们用汗水换来的。

－ 最快乐的时刻是花钱买我喜欢的东西时。

－ 父母的关怀不只是表现在给你钱花。他们对你在生活上、学习上的关怀比给你钱更重要。

> ### 钱
>
> 俗话说："有什么，别有病；没什么，别没钱。"

14 用所给词语填空

| 甚至 |
| 至于 |
| 而且 |
| 接着 |
| 于是 |
| 然后 |

1. 他不仅会跳拉丁舞，_____跳得很酷。

2. 吴老师在电脑上看新闻、发电邮，_____通过电脑"改"学生的作业。

3. 唐玄奘对已学到的佛教知识不满意，_____决定去佛教的发源地取真经。

4. 我知道他抽烟，_____他吸不吸毒我就不太清楚了。

5. 秦始皇先统一了中国，_____便建立了君主制统治整个国家。

6. 张艺谋大学毕业后做过摄影师，演过电影，_____就开始做导演。

15 翻译

1. 由于经济不景气，今年第一季度的犯罪率比去年同期增加了一成。
2. 他经常言行不一，说的是一套，做的是另一套。
3. 政府应该高度重视失学问题。
4. 他经受不住金钱的引诱，最后走上了犯罪道路，坐了五年牢。
5. 她既聪明能干，又有主见，日后必成大器。
6. 青少年很容易从各种媒体中接触到暴力、色情、凶杀等不健康的内容，这对他们会造成不良影响。
7. 新加坡的法律很严，在其他国家吃口香糖并不触犯法律，但在新加坡吃口香糖要被罚款。
8. 青少年千万别以身试法。如果不听劝告，犯了法再后悔就来不及了。
9. 青少年往往社会经验不足，处世不深，如果受到坏人的影响，他们就有可能会不知不觉地走上犯罪道路。

16 解释下列词语（注意带点的字）

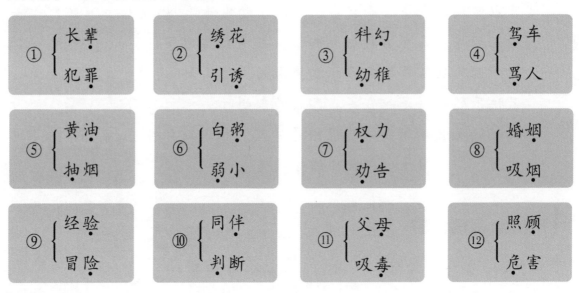

① { 长辈・ 犯罪・ }
② { 绣花・ 引诱・ }
③ { 科幻・ 幼稚・ }
④ { 驾车・ 骂人・ }
⑤ { 黄油・ 抽烟・ }
⑥ { 白粥・ 弱小・ }
⑦ { 权力・ 劝告・ }
⑧ { 婚姻・ 吸烟・ }
⑨ { 经验・ 冒险・ }
⑩ { 同伴・ 判断・ }
⑪ { 父母・ 吸毒・ }
⑫ { 照顾・ 危害・ }

17 配对

1. 亡羊补牢
2. 羊肠小道
3. 顺手牵羊
4. 羊入虎口
5. 羊毛出在羊身上

a. 形容狭窄、曲折、崎岖的小路。
b. 比喻顺便拿走别人的东西。
c. 比喻用对方的钱花在对方身上。
d. 比喻出了差错，及时设法补救。
e. 比喻处境危险。

18 设计一张宣传单(以下内容仅供参考)

向低年级或弱小学生宣传怎样制止欺凌行为

欺凌形式

－有意伤害别人的言行

－用暴力给别人造成肉体伤害

－未经同意拿走别人的东西

－散布谣言、恶意中伤

－骂人、打人

－种族歧视

－间接地伤害别人

－起外号，伤害别人的自尊心

……

习惯欺负别人的人

－学习成绩很差，对学习一点儿也不感兴趣

－经常逃学，心思从来都不放在学习上

－人生没有目标，整天东荡西逛

－家长管教不严，有时候家长也管不住

－家庭成员内部经常有冲突、矛盾

－家庭成员中历来有暴力行为

－家长对不良行为从不制止或无力制止

－经济条件比较差

－父母离异，长期得不到父母的关爱

……

对那些欺负他人的人说……

－我可以说出我自己的感受

－我对自己的长相和家庭背景感到自豪

－欺负别人的人会受到惩处

－我知道谁欺负我，我会向有关部门和人士举报

－如果我看到有人欺负别人，我会去举报，还会挺身而出，主持正义

－我知道什么是良好的行为

－这样做会给别人造成肉体上或精神上的伤害

……

典型受害者

－不善于社交，很少有朋友

－缺乏自信心，胆小怕事

－经常得不到老师和同学的同情

－经常自我责备

－渴望成为某个小团体的一员，但是往往受到排斥

－没有主见

－遇到事情不知道向谁求助

……

19 《西游记》连载(八)　高老庄收猪八戒

　　一天，唐僧师徒二人来到了一个叫高老庄的村庄。他们在村口听村民们说高太公家出了个妖怪。原来，高太公家有三个女儿：大女儿和二女儿都出嫁了，留着三女儿想招个养老女婿。三年前，有一个汉子，上无父母，下无兄弟，愿给高太公家做女婿。高太公老两口看他无依无靠①，就把他招来了。刚进门时，他很勤快②，又孝顺③，每天起早贪黑④地在地里干活。可是他近来变了，变得鼻子长、耳朵大，模样像猪，每天要吃三、五斗米的饭，还把他媳妇关在后院，不让高太公老两口见他们的女儿。这妖怪深更半夜到村里来，天一亮就离开。

　　悟空决定搞清楚这妖怪到底是谁。深夜，这妖怪果然又来了。悟空用金箍棒一下子打在妖怪的头上，妖怪连忙说："我跟你无冤无仇⑤，为什么要跟我过不去？"悟空说："我是大圣孙悟空，陪师父去西天取经，路过此地。你丈人叫我来救他的女儿。"那妖怪一听，马上跪下行礼说："我就是在这里等取经的猪八戒。我被玉皇大帝打下人间，给我一个机会吧。"于是悟空领着妖怪去见唐僧。问明身份后，唐僧收他为徒弟，并给他取名悟能。

根据上文选择正确答案：

1. 高太公收下猪八戒做女婿是因为 _____。

　　a) 猪八戒不懂得怎样照顾老人　　　c) 猪八戒不是干活的料

　　b) 他可怜猪八戒的境况　　　　　　d) 猪八戒没有亲戚

2. 高老庄的村民们所说的妖怪原来是 _____。

　　a) 被玉皇大帝打到人间来的　　b) 一头猪　　c) 高太公的三儿子　　d) 高太公的大女婿

3. 孙悟空一看见妖怪就 _____。

　　a) 先问他是从哪里来的　　　　c) 用金箍棒向他打去

　　b) 先盘问妖怪的身世　　　　　d) 先把他带去见唐僧

4. 高太公 _____。

　　a) 的女儿、女婿每天深更半夜进村　　　c) 的三女婿和三女儿都变成了猪

　　b) 让孙悟空去救他的女儿　　　　　　　d) 认识三女婿的父母

配对(词语解释)：

1. 无依无靠	a. 起得早，睡得晚，形容干活卖力气
2. 勤快	b. 干活手脚快，爱劳动
3. 孝顺	c. 在困难时刻没有人能帮到你
4. 起早贪黑	d. 尽心奉养父母，顺从父母的意志
5. 无冤无仇	e. 不是冤家，所以互相不敌视

阅读(八) 末代皇帝

1 根据课文回答下列问题

1. 溥仪几岁登基？他做了几年的皇帝？

2. 清朝被推翻后，他的日常生活有什么变化？

3. 溥仪十八岁以前在紫禁城里过着什么样的生活？

4. 1924 年，溥仪去了哪儿？

5. 从第二次世界大战结束到 1959 年那段时间里，溥仪是在哪里度过的？

6. 溥仪病逝前做什么工作？

2 配图

1. 帆船

2. 鞍马

3. 铅球

4. 铁饼

5. 标枪

6. 吊环

7. 击剑

8. 射击

9. 高低杠

10. 平衡木

3 解释下列词语(注意带点的字)

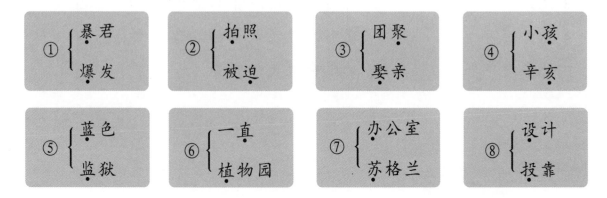

① { 暴君 / 爆发 }

② { 拍照 / 被迫 }

③ { 团聚 / 娶亲 }

④ { 小孩 / 辛亥 }

⑤ { 蓝色 / 监狱 }

⑥ { 一直 / 植物园 }

⑦ { 办公室 / 苏格兰 }

⑧ { 设计 / 投靠 }

4 词汇扩展

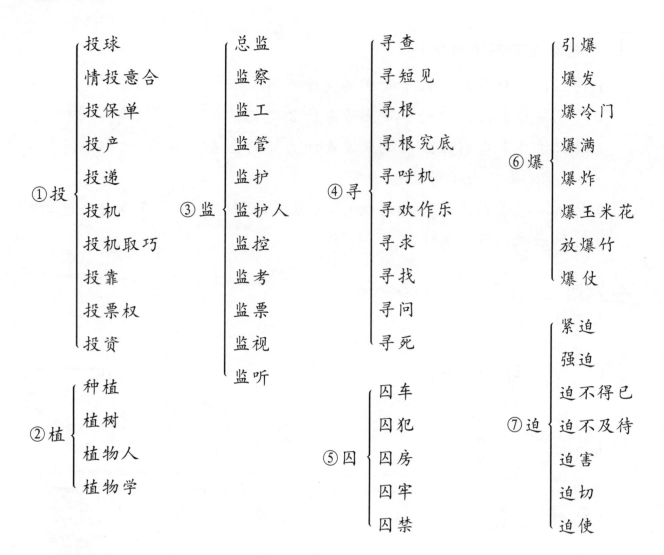

①投
- 投球
- 情投意合
- 投保单
- 投产
- 投递
- 投机
- 投机取巧
- 投靠
- 投票权
- 投资

②植
- 种植
- 植树
- 植物人
- 植物学

③监
- 总监
- 监察
- 监工
- 监管
- 监护
- 监护人
- 监控
- 监考
- 监票
- 监视
- 监听

④寻
- 寻查
- 寻短见
- 寻根
- 寻根究底
- 寻呼机
- 寻欢作乐
- 寻求
- 寻找
- 寻问
- 寻死

⑤囚
- 囚车
- 囚犯
- 囚房
- 囚牢
- 囚禁

⑥爆
- 引爆
- 爆发
- 爆冷门
- 爆满
- 爆炸
- 爆玉米花
- 放爆竹
- 爆仗

⑦迫
- 紧迫
- 强迫
- 迫不得已
- 迫不及待
- 迫害
- 迫切
- 迫使

5 配对

1. 九牛一毛
2. 九牛二虎之力
3. 九死一生
4. 九霄云外
5. 九泉之下

a. 比喻远得无影无踪。
b. 比喻极大数量中的极少数。
c. 指人死后埋葬的地方。
d. 形容经历极大的危险而幸存。
e. 比喻极大的力量。

第九课　升学与就业

1 填空

在大学里，你学了以下专业。你可以做什么工作？

专业	工作
1. 土木工程	
2. 建筑学	
3. 新闻传媒	
4. 工商管理	
5. 金融	
6. 心理学	
7. 教育学	
8. 电脑	

工作

a) 测量师　　b) 研究人员　　c) 记者　　d) 专业绘图师　　e) 杂志社编辑

f) 播音员　　g) 销售经理　　h) 顾问　　i) 跨国公司经理　　j) 外科医生

k) 会计师　　l) 软件设计师　　m) 社工　　n) 投资银行经理　　o) 心理辅导员

p) 建筑师　　q) 技术人员　　r) 教师　　s) 项目经理　　t) 桥梁设计师

2 写一写

假如你有三个月的时间可以学一项技能，你会选择学什么？为什么？

一门外语	我想学西班牙语，因为……
一种乐器	
烹饪	
服装设计	
绘画	
跳交际舞	
一种球类运动	
编网页	
……	

3 排序

你在选择职业时，考虑以下因素的次序是：

___ 社会对此职业的需求

___ 这种职业的竞争性

_1_ 这种职业有没有发展前途

___ 你对这个职业是否有兴趣

___ 该职业的经济收入

___ 该职业是否稳定

___ 你的性格和自身素质是否适合做这种工作

___ 此职业是否富有挑战性

___ 考虑你是否有能力胜任这个职业

4 翻译并选五个词语造句

| 最近 起初 后来 将来 之后 从小 最后 刚才 过去 如今 当今 目前 现在 当时 至今 不久 今后 | 1. 起初他们打算去巴黎旅游结婚，后来由于某种原因他们改变了计划。
2. 他兴趣广泛，最近又迷上了摄影，整天带着数码相机拍照。
3. 如今的年轻人生活条件优越，衣来伸手、饭来张口。
4. 她从小爱画画儿，将来想当艺术家。
5. 他刚才一时冲动，讲了几句粗话。
6. 他对电脑非常精通，无意中成了电脑黑客，犯了法，最后还坐了牢。
7. 现在我来讲一下青少年犯罪问题。
8. 溥仪在监狱里被关了十多年，出狱之后曾在北京植物园工作。
9. 现在的电脑功能比过去的强多了。
10. 当今世界变化特别快，只有不断学习才能适应新的情况。
11. 到目前为止，他已经翻译了七部长篇小说。
12. 当时，我一门心思想学医，谁的意见我也听不进去。
13. 他今后想搞研究，对教书没有兴趣。
14. 他至今不能忘记中学老师对他的教诲。
15. 她爸爸最近被提升为教育部长，不久他们全家将搬去华盛顿住。 |

5 写一写

这些工作具有什么性质?

职 业	性 质
跨国公司经理	富有挑战性，经常坐飞机，见多识广，认识很多人，有机会学其他语言。
服装设计师	
音乐杂志编辑	
旅行团导游	
厨师	
摄影师	
广告设计师	
教师	
新产品推销员	
电影导演	

参考词语：

流行款式　见多识广　责任心　刺激　机会　明星　结识　挑战　认识

风土人情　知识面广　见世面　欣赏　品尝　辛苦　艺术　品味　耐心

能说会道　风俗习惯　有创意　大胆　合作　进修　爱心　了解　富有想像力

6 翻译

1. 她十年前跟随父母移居加拿大，在那里住了八年。前年她们一家搬回了香港。

2. 现在能欣赏京剧艺术的年轻人不多。

3. 北京2002年申奥成功，将于2008年举办第29届奥运会。

4. 今天，我们隔壁大楼发生了火警，几分钟后五辆消防车到场，还来了一辆救护车。

5. 因为受父亲的影响，他从小就喜欢看足球比赛，还喜欢踢足球。

6. 对于一个作家来说，创作出一部受读者欢迎的作品能令我兴奋不已。

7. 随着工业化的发展，土地的沙漠化问题越来越严重了。

8. 当今社会处处有竞争，每个人都常常面对各种挑战。

117

吃苦教育

中国有句古话说"有钱难买少年苦"。这句话的意思是：一个人在小时候吃点苦、受点累，对将来其实是有好处的。

试看如今成功的人士中，大部分人小时候都吃过苦，因此才知道珍惜后来所得到的一切。

现在的一些青少年从小娇生惯养，在家有父母疼爱，不用做家务，有的家里还有佣人照顾，除了做功课，其他任何事情都不用做。别人为他做任何事，他都觉得理所当然。

在这种环境下长大的孩子，不仅自理能力差，缺乏自律能力，而且在生活、学习中一遇到困难就会退却，遇到挫折就受不了。这样的孩子将来到了社会上不可能有竞争力。

人生原本是充满困难和挫折的。因此，从小培养青少年能吃苦是有必要的。虽说现在的生活水平提高了，生活条件优越了，但还是可以创造条件让孩子经受磨炼，比如让孩子参加露营、越野赛跑、去贫困地方做义工等。这样，孩子学会吃苦，学会在困境中生存，将来脱离父母的保护伞到社会上去工作时，才有能力独立生活。所以说，对青少年进行一些"吃苦教育"是很有必要的。

查字典：

1. 珍惜
2. 娇生惯养
3. 佣人
4. 理所当然
5. 退却
6. 挫折
7. 磨炼
8. 脱离
9. 保护伞

根据你自己的情况回答下列问题：

1. 你同意"有钱难买少年苦"吗？

2. 你在家里做不做家务？做什么家务？

3. 你的自理、自律能力怎么样？在这方面你父母是怎样培养你的？

造句：

1. 成功
2. 照顾
3. 觉得
4. 环境
5. 能力

4. 你有没有参加过文章中提到的"吃苦教育"？如果有的话，请简述一下。

8 写一写

中、西方教育的理念差异

中国式教育

1   中国家长重视学习,对孩子在学习上要求比较高。

2   在中国学校里读书竞争激烈,压力大。从幼稚园升小学、小学升中学、中学升大学,一道道关卡,每个学生都要过。

3   在中国学校里读书,考试压力大。考试的内容大部分要死记硬背。学生的知识面比较窄,有些学生甚至是高分低能。

4   学生和家长都比较看重成绩。学生读书的主动性比较强。

5   学校大多采用填鸭式的教育方式,教的内容知识性比较强。

6   学生重视主科的学习,不太重视副科或选修课。大部分学生觉得副科或选修课不重要。

7   学校会在考试后为学生排名次,给考试成绩差的学生造成压力。

西方式教育

①   西方国家的家长重视孩子的全面发展,尤其重视对孩子在音、体、美方面的培养。

②

③

④

⑤

⑥

⑦

9 偏旁部首与汉字

偏旁	读法	意义	写出以下字的意思			
马	马字旁	多与马有关	骑	驴	驾	驶
女	女字旁	多与女性有关	娄	娶	姻	媒
阝	左耳旁	多与地形、高低、上下有关	阶	陆	院	队
阝	右耳旁	多与行政区有关	都	邮	部	邻
土	土字部	多与泥土有关	尘	城	坟	域

10 配对

1. 打草惊蛇

2. 山中无老虎，
   猴子称大王

3. 猴年马月

a. 指遥远而不可及的日子。

b. 比喻行动不慎密，使对方有所警觉而预先防备。

c. 比喻没有杰出人才的地方，较差的人也可以出人
   头地。

11 翻译

1. 我孩提时代的梦想是有朝一日能环球旅行，出去开开眼界，见见世面。

2. 这次国际画展上展出的作品大部分是油画，国画只占很少一部分。

3. 她写的儿童文学作品富有想象力，很吸引人，让人一口气就想把它读完。

4. 他十岁的时候对宇宙天体产生了浓厚的兴趣，竟然用他的零用钱买了
   一架高级望远镜，每天晚上观察天上的星星。

5. 要实现这个计划不是完全没有可能的，但是我们首先得规划一下。

6. 对于你给我们提的建议，我们会仔细研究，在近期内给你一个答复。

7. 最近我读了一本关于回收技术的书，随即我起了一个念头，设计了一
   个金属回收箱。

8. 到目前为止，我校被哈佛大学录取的学生已经超过五名。

12 写一写：评论以下职业

1. 牙医：牙医得整天站着工作，挺辛苦的，但是做牙医不会失业。

2. 空中小姐：＿＿＿＿＿＿＿＿＿＿＿＿＿＿＿＿＿＿＿＿＿＿＿＿

3. 酒店服务员：＿＿＿＿＿＿＿＿＿＿＿＿＿＿＿＿＿＿＿＿＿＿

4. 小学老师：＿＿＿＿＿＿＿＿＿＿＿＿＿＿＿＿＿＿＿＿＿＿＿＿

5. 汽车制造厂工人：＿＿＿＿＿＿＿＿＿＿＿＿＿＿＿＿＿＿＿＿

6. 建筑师：＿＿＿＿＿＿＿＿＿＿＿＿＿＿＿＿＿＿＿＿＿＿＿＿＿

7. 政治家：＿＿＿＿＿＿＿＿＿＿＿＿＿＿＿＿＿＿＿＿＿＿＿＿＿

8. 消防员：＿＿＿＿＿＿＿＿＿＿＿＿＿＿＿＿＿＿＿＿＿＿＿＿＿

13 翻译

未来中国的热门专业

在今后的十年里，中国就业市场的热门专业将有以下几个行业：

1. 医药专业：随着生活水平的提高，人们对药品质量、品种、医疗技术、医疗条件的要求越来越高。一些民办医院、私人诊所会增加，保健医师、家庭护士也将会成为热门人才。

2. 外语专业：随着改革开放的深入，中国对外语类人才的需求将与日俱增。由于外语教学已经从中学、大学提前到小学，甚至幼稚园，师范院校的外语毕业生将会越来越吃香。由于社会的发展，外语已成为一种必不可少的工具，很多行业都需要懂外语的人才。

3. 金融专业：随着中国金融市场的开放、外资银行的进入、国内金融体制的改革，学金融专业的学生将有很大的发展机会。银行和保险业将进入一个迅速发展的黄金时期，这些行业都需要大批专业人才。

4. 网络专业：随着电脑的普及和技术的发展，日常生活走向高度电子化，网络已成为人们生活的一部分。在电脑软件开发、游戏软件开发、信息管理和网络安全方面将需要大批的专业人才。

词语解释：

1. 热门 popular
2. 专业 specialized subject
3. 行业 profession
4. 医疗 medical treatment
5. 民办 privately-run
6. 私人 private
7. 诊所 clinic
8. 改革 reform
9. 与日俱增 increase daily
10. 师范 teachers college
11. 吃香 be popular
12. 外资 foreign investment
13. 体制 system (of organization)
14. 保险 insurance
15. 迅速 rapid; quick
16. 大批 large quantities
17. 软件 software
18. 开发 explore
19. 管理 manage

14 找反义词

1. 顺便 _____
2. 停业 _____
3. 痛快 _____
4. 进步 _____
5. 脱险 _____
6. 外行 _____

7. 弯曲 _____
8. 无意 _____
9. 消失 _____
10. 小气 _____
11. 顺利 _____
12. 正常 _____

曲折	烦闷	笔直
遇难	退步	特意
出现	大度	异常
内行	开张	故意

15 写一写

学习汉语的方法

— 记生词时，背十遍不如写一遍

— 睡觉前、起床后记生词，效果好

— 自己一个人记生词，效果好

— 跟同学一起背书，容易背出来

— 分析一下这个字的结构再记，效果会更好

— 做中文字卡

— 提前预习听课效果会更好

— 课后马上复习，然后再做功课

— 不懂就问

— 看见新字/词就抄在生字本上

— 上课积极发言

— 一有机会就说汉语

— 看中文电视节目/中文电影

— 上中文网站

— 学唱中文歌

— 看中文报纸/杂志/小说

— 与笔友用中文通电邮

— 每天用中文写日记

— 参加汉语短训班

— 找一个补习老师

在以下五个方面你是怎样提高的？曾经用过哪些学习方法？或者你以前做得不够，你想试用哪些新的学习方法？

a) 扩大词汇量

b) 聆听能力

c) 说话能力

d) 阅读能力

e) 写作能力

例子：

我1999年刚到中国留学时，听不懂中国人讲话，也听不懂老师讲课，很苦恼。后来我每天坚持看电视，而且手上拿着字典，听到生词就查。有时还把节目录下来，看上好几遍。我还从图书馆借来带有中文字幕的录像带，边听边看。经过一年的努力，我终于闯过了听力难关。

16 解释下列词语（注意带点的字）

① { 高兴 / 搞笑 }

② { 受伤 / 教授 }

③ { 认识 / 职业 }

④ { 一亿 / 艺术 }

⑤ { 竞赛 / 竟然 }

⑥ { 车站 / 挑战 }

⑦ { 虚构 / 考虑 }

⑧ { 所以 / 欣赏 }

17 词汇扩展

① 升 { 升调 升高 升级 上升 }

② 授 { 授奖 授课 授权 }

③ 战 { 停战 持久战 心理战 百战百胜 战备 战斗 战术 战场 战士 战犯 战斗力 战胜 战利品 战火 战果 战绩 }

④ 搞 { 搞对象 搞鬼 搞好 搞活 }

⑤ 浓 { 浓茶 浓烟 浓度 }

⑥ 厚 { 厚道 厚礼 厚度 厚脸皮 厚实 厚望 }

⑦ 申 { 申办 申报 申明 申请书 申请信 申请表格 }

⑧ 艺 { 手艺 多才多艺 艺名 艺人 艺术品 }

⑨ 竞 { 竞技体操 竞选总统 竞争 竞走 }

⑩ 随 { 跟随 随便 随从人员 随大流 随地 随风倒 性情随和 随机应变 随口 随身 随时 随手 随行人员 随意 }

⑪ 职 { 职称 称职 停职 革职 职工 职员 职权 职位 职务 职能 }

⑫ 防 { 提防 严防 设防 防备 防尘 防弹衣 防毒面具 防风 防滑 防火 防止 }

123

18 读一读，写一写

成功的秘诀

成功是每个人的梦想。要想成功，第一要有先天条件，第二要靠后天的努力，第三还要有运气。第一、第三个条件是我们所不能控制的，但是第二个条件是人为的。努力与成功在一定程度上是成正比的：你越努力，成功的机会就越大。

以下是成功的八种因素：

1. 信念：相信自己的能力，只要努力，一定能成功。

2. 勇气：要敢于尝试、创新。

3. 热情：以积极、正面、向上的态度去做每一件事。

4. 牺牲：要有勇于牺牲的精神作为代价来换取成功。

5. 努力工作：将100%的精力、时间投入到工作中去。

6. 自律：有很强的控制能力，充分利用每一分钟。

7. 追求完美：做任何事情都要求不断改进，以达到完美的程度。

8. 不断学习：学习为成功之母。只有不断更新自己，才能永远站在时代的前沿。

从文中找出意思相同的词语：

1. 生来就具有的
_____

2. 幸运 _____

3. 时机 _____

4. 抛开旧有的，创造新的_____

5. 用交换的方法取得_____

6. 足够 _____

7. 改变旧有情况，使有所进步_____

8. 没有缺点_____

9. 旧的去了，新的来到_____

根据你自己的情况回答下列问题：

1. 你已具备了以上哪些成功的因素？你还应该怎样努力？

2. 找一个你所熟悉的或崇拜的成功人士，分析他的成功是否由于以上这些因素在起作用？

19 读一读，写一写

以下是个人找工作的过程

1. 看报纸、上网或去职业介绍所看工作广告。看到合适的工作抄下来。

2. 给该公司打电话询问该工作具体情况。要一份申请表。

3. 找人写推荐信。

4. 复印文凭和学历证明。

5. 写申请信及个人简历。

6. 把申请材料寄出去。

7. 聘用单位写信通知你去面试。

8. 聘用单位决定聘用你，用书面形式通知你。

9. 写回信表示接受此工作。

10. 去单位谈工资及其他福利，签合同。

11. 开始上班。

 该你了！

写一写公司招聘员工的过程

20 阅读理解

我的学校

由于父亲工作的变动，我从小学到中学毕业，一共转了五次学。对我来说，每次转学都意味着跟相识不久的老师和同学说再见，再到一个完全陌生的环境中去慢慢熟悉。正因为转学，我有机会体验到不同的学校生活。

这五所学校中，其中有一所是我最留恋的。这所学校在意大利，是一所国际学校。首先①，学校里的学生来自40多个国家，与他们在一起学习，使我觉得每天都可以学到在课堂上学不到的东西。在跟他们的交谈中，我了解了不同国家和民族的风俗习惯、独特②的文化等等。其次，这个学校的课程设置很科学。学校不让学生过早分科，这样可以避免学生放弃学习那些不喜欢的科目。其实，中学阶段还不能确定③以后会从事④什么行业，过早选读文科或理科，对以后找工作并不一定有利。所以，学校让学生修读不同科目，扩大知识面，培养各方面的兴趣，让学生全面发展。再有，学校还为学生提供了丰富多彩⑤的课外活动：风帆、摄影、话剧表演、室内乐演奏等等，让学生在课余时间培养各种兴趣爱好。除此以外，学校每隔几个星期就派学生去邻近社区的老人院、孤儿院做义工，让学生体会不同的生活。总之⑥，在这个学校学习，我觉得很充实，学校并不是把我们培养成只会考试的机器人，而是把我们培养成全面发展的人才。

查字典：

1. 意味着
2. 留恋
3. 设置
4. 修读
5. 扩大
6. 风帆
7. 充实

选择同义词：

1. a) 第一   b) 先前   c) 主要
2. a) 独立   b) 特色   c) 特别
3. a) 肯定   b) 正确   c) 一定
4. a) 作   b) 干   c) 事业
5. a) 富有   b) 各种各样   c) 彩色
6. a) 总的来说   b) 总数   c) 最后

作文：

评估一下你现在就读的学校，有哪些好的方面？哪些方面需要改进？你觉得什么样的学校才是你心目中理想的学校？

21 写一写

1. 画家   4. 警察
2. 消防员 5. 电影演员
3. 护士   6. 飞行员

例子: 画家可以是职业画家，卖画挣钱。也有些画家有其他职业，业余时间替书报插图或做家教。

22 《西游记》连载(九) 流沙河收沙僧

　　唐僧师徒三人,一路西行,来到了流沙河。这条河深①三千尺,宽②八百里,河水翻滚,波浪又高③。要过河,谈何容易④。师徒三人正发愁⑤,突然从河中间冒出来一个妖怪, 长得又凶恶⑥又难看⑦。八戒跟他打了一会儿,只打了个平手。悟空把师父安置在一个安全的地方后,取出金箍棒来打妖怪。妖怪见悟空来帮八戒一起对付他,就慌忙⑧逃进水里。悟空想抓住这个妖怪,让他送师父过河,可是怎样才能抓住这个妖怪呢? 悟空想出了一个好办法,他让八戒先把妖怪引上岸,然后由他来征服妖怪。于是八戒跳入水中, 跟妖怪打了起来,但是这妖怪怎么也不肯上岸。悟空没有办法,只好去求观音帮忙。观音说其实这妖怪是在等他们, 想跟他们一道去西天取经的。于是观音把这妖怪叫出了水面。

　　唐僧收了这个徒弟,便给他取名叫悟净,俗称沙和尚。沙和尚从脖子上取下一串珠链扔到水中, 即刻一条小船出现在水面上。于是师徒四人乘着船安全地过了流沙河。过河之后, 三个徒弟挑着行李,唐僧骑着马, 师徒四人继续往西走。

根据上文选择正确答案:

1. 流沙河 _____。
　　a) 又浑又脏　　c) 很平静, 没有波浪
　　b) 又宽又深　　d) 水很浅, 一眼能见到底

2. 当师徒三人来到流沙河时, 妖怪 _____。
　　a) 突然从水里窜了出来
　　b) 从水里冒出来迎接他们
　　c) 躲在水里观看
　　d) 在水里搞鬼, 使得河水波浪翻滚

3. a) 八戒一个人完全能把妖怪制服。
　　b) 八戒和悟空两个人才能把妖怪打下水。
　　c) 妖怪看见八戒就逃。
　　d) 八戒和悟空两个人合作起来都抓不到妖怪。

4. a) 妖怪只听从两个人的命令: 观音和如来佛。
　　b) 唐僧亲自去把妖怪请出水面。　　c) 观音给妖怪取名沙悟净。
　　d) 沙和尚加入了唐僧师徒去西天取经的行列。

配对(反义词):

1. 深	a. 放心
2. 宽	b. 善良
3. 高	c. 美丽
4. 容易	d. 浅
5. 发愁	e. 低
6. 凶恶	f. 从容
7. 难看	g. 窄
8. 慌忙	h. 难

阅读(九) 孙中山

1 根据课文回答下列问题

1. 孙中山出生在哪儿?

2. 他在哪儿受过教育?

3. 孙中山青少年时期经历了中国哪个朝代?

4. 孙中山在大学里学什么专业?

5. 1911年孙中山领导的革命为什么叫"辛亥革命"?

6. "辛亥革命"在中国历史上有什么意义?

2 配图

1. 锁

2. 钥匙

3. 火柴

4. 熨斗

5. 微波炉

6. 手电筒

7. 灯泡

8. 拖把

9. 电吹风

10. 剃须刀

3 解释下列词语(注意带点的字)

① { 研究 / 贫穷 }

② { 植树 / 值班 }

③ { 改变 / 腐败 }

④ { 而且 / 县长 }

⑤ { 哲学 / 病逝 }

⑥ { 监狱 / 临时 }

⑦ { 异常 / 放弃 }

⑧ { 伸手 / 申请 }

4 词汇扩展

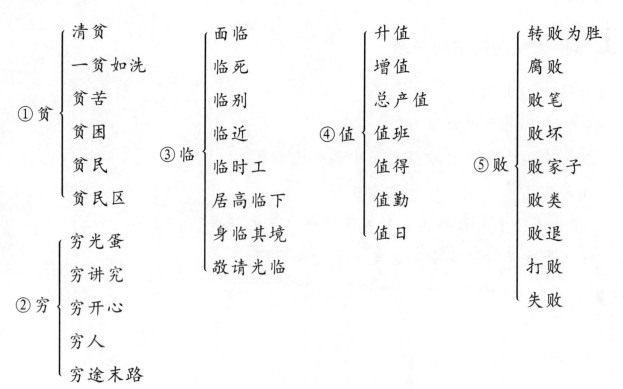

① 贫
- 清贫
- 一贫如洗
- 贫苦
- 贫困
- 贫民
- 贫民区

② 穷
- 穷光蛋
- 穷讲究
- 穷开心
- 穷人
- 穷途末路

③ 临
- 面临
- 临死
- 临别
- 临近
- 临时工
- 居高临下
- 身临其境
- 敬请光临

④ 值
- 升值
- 增值
- 总产值
- 值班
- 值得
- 值勤
- 值日

⑤ 败
- 转败为胜
- 腐败
- 败笔
- 败坏
- 败家子
- 败类
- 败退
- 打败
- 失败

5 配对

1. 十全十美
2. 十年树木，百年树人
3. 十指连心
4. 十万火急
5. 以一当十
6. 十拿九稳

a. 形容作战英勇无畏，以少胜多，也形容工作能力强。

b. 形容情况十分紧急，刻不容缓。

c. 形容十分完美，毫无缺陷。

d. 比喻培养人才是长远之计。

e. 形容办事很有把握。

f. 十个手指与心相连。比喻对与自己关系亲密的人很关心。

6 哪个字正确

1. 他总是骄／桥傲自大，谁的话也听不进去。
2. 他哥哥虽然上了高中，但有时说话、办事还很幼／幻稚。
3. 我舅舅娶／嫁了一位日本妻子。
4. 我欣／新赏不了印象派的画儿。
5. 你再好好考虑／虚一下，应该申请哪几间大学？
6. 他对科学有浓原／厚的兴趣。

第三单元　复习、测验

1 解释下列词语

1 名词

烦恼　青春期　异性　压力　成绩　情绪　心理　理解
时期　阶段　王位　王朝　期间　权力　制度　标准
度量衡　大道　暴君　文人　民工　言行　行为　道路
惩罚　错误　粗话　校规　驾驶执照　伤害　暴力　凶杀
色情　经验　劝告　皇太后　家庭教师　囚犯　监狱　植物园
孩提　梦想　例子　教授　文学　艺术家　作家　职业
幼稚园　消防员　能力　作品　画展　竞赛　冠军　念头
人脑　挑战　近代史　县　起义　总统　感情

2 动词

增加　处理　欺负　相处　抱怨　管教　沟通　恋爱　给予
对待　统一　继承　执政　建立　集中　推行　修建　关怀
动用　保留　连接　控制　活埋　压制　发展　建造　犯罪
引诱　制止　坐牢　冒险　判断　骂　逃课　抽烟　吸毒
违反　危害　造成　接触　处世　奋斗　冲动　后悔　爆发
统治　被迫　退位　接受　娶　投靠　占领　抓获　出狱
改造　病故　升学　就业　实现　搞　培养　欣赏　展出
放弃　研究　考虑　申请　录取　值　改造　行医　经过
领导　发动　成立　当选　推翻　病逝

3 形容词

人际　理想　稳定　成熟　害羞　自卑　骄傲　妒嫉　酷
懒惰　顺利　积极　向上　发达　正常　豪华　高度　应有
天真　幼稚　弱　异常　完全　浓厚　贫穷　腐败　优异
临时　封建

4 副词

甚至　先前　至今　日后　当今　起初　竟然　目前　当时　亦

5 连词

正当

6 短语

骄傲自大　成千上万　来不及

2 找反义词

1. 烦恼 _____	6. 害羞 _____
2. 增加 _____	7. 建立 _____
3. 成熟 _____	8. 错误 _____
4. 自卑 _____	9. 梦想 _____
5. 懒惰 _____	10. 积极 _____

正确	愉快	幼稚
自信	落后	勤劳
现实	大方	减少
推翻		

3 配对(动宾搭配)

1. 发展	a. 当天的事务
2. 增加	b. 高级跑车
3. 处理	c. 旅游行业
4. 继承	d. 管理人才
5. 推行	e. 玉米的产量
6. 驾驶	f. 犯罪分子
7. 惩罚	g. 世界名画
8. 危害	h. 文化遗产
9. 欣赏	i. 青少年的身心健康
10. 培养	j. 教育改革

4 配对(词语解释)

1. 恼火	a. 为自己打算的念头
2. 稳重	b. 比较；评定
3. 私心	c. 预防和治疗(疾病、病虫害等)
4. 怀旧	d. 生气
5. 承认	e. 事物之间的内在的必然联系
6. 衡量	f. (言语、举动)沉着而有分寸
7. 误会	g. 在规定的时间担任工作
8. 防治	h. 怀念往事和旧日有来往的人
9. 值班	i. 误解对方的意思
10. 规律	j. 表示肯定，同意，认可

5 翻译

1. 他从小酷爱武术，刀、剑、棒等样样都行。
2. 她很希望有朝一日能乘坐豪华客轮周游世界。
3. 他这个人很自负，结果身边没什么朋友。
4. 我真后悔当初没听老师的劝告。
5. 我刚买的圆规一转眼就被人拿走了。
6. 我弟弟从小就梦想当一个职业足球运动员。
7. 从小培养自理能力很重要。
8. 他以优异的成绩考进了哈佛大学。
9. 她一时控制不住感情，失声痛哭了起来。
10. 为了达到国际标准，我们还需要继续改进产品的质量。

6 根据你自己的情况回答下列问题

1. 你有烦恼吗？有哪些烦恼？这些烦恼在哪方面影响了你的生活和学习？

2. 你在哪方面有压力？谁给你压力？你是怎样调节心理压力的？

3. 你周围的同学中有谁在谈恋爱？你是怎么看这件事的？

4. 你们学校有没有偷东西的现象？平时同学的哪些东西容易被偷？你有没有被人偷过？别人偷了你什么东西？

5. 你们学校在学生逃课、迟到、早退、偷东西等方面有哪些校规？犯了校规有哪些惩罚？

6. 你们学校的逃课／迟到／抽烟／欺负弱小同学的现象严重吗？你认为学校应该怎样解决这些问题？

7. 你小时候的理想是什么？跟现在的有什么不同？

8. 你将来打算从事什么职业？

9. 你会去哪儿上大学？为什么？你会申请哪几所大学？学什么专业？

10. 你参加过奥林匹克竞赛吗？什么赛？

7 阅读理解

　　每个人每天都要作很多决定，比如今天早上吃什么，上学穿什么衣服，中午吃什么，放学以后干什么等等。这些都是日常生活中的小问题。对于这些无关紧要的问题，无论你作出怎样的决定，结果都不会给你的生活带来什么改变，对你将来的前途①也不会有什么妨碍②。

　　如果某一天，你的朋友请你抽一支烟，或者求你在商店里帮忙偷东西，或者让你尝一种毒品，或者叫你在网上贩卖毒品，或者让你帮忙卖翻版③碟……，为了友谊、为了满足好奇心、为了金钱、为了在同龄人中显得酷……，你会作出怎样的决定呢？这时，你最需要的恰恰是冷静④，仔细地考虑这些事会给你带来的后果。明知是犯法的事，你应该立刻说"不"。如果一时冲动，不顾后果，作出错误的判断，到头来受惩罚的就是你自己。学校可能会因此罚你停课、甚至开除⑤你，警察可能会把你抓起来，关进牢房。你的一生可能因此而改变。

　　每个青少年都要提高自己判断是非的能力⑥，在关键时刻作出正确的决定。明知是犯法的事情，绝对不能去以身试法。

根据上文选择正确答案:

1. 学生 _____。

   a) 不用决定每天吃什么、穿什么

   b) 往往要为日常生活中的小事作决定

   c) 的父母为他们作所有的决定

   d) 作出的所有决定不会影响他们的前途

2. 面对重大的决定, 你应该 _____。

   a) 不加思考就作出决定

   b) 马上离开

   c) 冷静地思考, 作出正确的判断

   d) 考虑事发的原因

判断正误:

☐ 1) 对一些日常小事作出的决定不会影响你的前途。

☐ 2) 不良青年有时在商店里结伙偷东西。

☐ 3) 有人为了友谊而帮助朋友做非法的事情。

☐ 4) 做事考虑后果一般都会受到惩罚。

☐ 5) 作出错误的决定可能会使你坐牢。

☐ 6) 青少年没有判断是非的能力。

配对(词语解释):

1. 前途	a. 沉着而不感情用事
2. 妨碍	b. 将成员除名
3. 翻版	c. 比喻将来的光景
4. 冷静	d. 使事情不能顺利进行
5. 开除	e. 能胜任某项任务的主观条件
6. 能力	f. 翻印的版本

8 写作

假设最近一段时间你们学校的高年级学生迟到现象很严重。用至少250个字写一篇文章, 内容必须包括:

— 学生迟到的普遍原因

— 学校对迟到现象的处理

— 家长、学校和学生本人应该怎样配合来解决这个问题

第四单元　未来世界

第十课　环境污染

1 调查

	总是	经常	很少	从来不
1.回收塑料				
2.回收玻璃瓶				
3.回收铝罐				
4.回收纸盒、废纸				
5.回收电池				
6.节约用水				
7.随手关水龙头				
8.随手关灯				
9.尽量少用电				
10.节省纸张				
11.不浪费食物				
12.不乱扔垃圾				
13.吃完口香糖后扔进垃圾箱				
14.不吃野味				
15.庭院、室内养花种树				
16.买东西时自备购物袋				
17.每年种植3－5棵树				
18.参加植树活动				
19.参加环保宣传活动				

2 根据你自己的情况回答下列问题

1.你们家有车吗?

2.你们家用车做哪些事情? (上、下班／接、送孩子上学／购物／旅行……)

3.家里有车有哪些好处与坏处? 各举一个例子。

3 配对

世界之最

1. 最大的海洋	a. 印度尼西亚
2. 水温最高的海	b. 中国
3. 含沙量最大的河	c. 太平洋
4. 面积最大的国家	d. 澳大利亚
5. 人口最多的国家	e. 南极洲
6. 世界最长的城墙	f. 亚马逊河
7. 海岸线最长的国家	g. 黄河
8. 岛屿最多的国家	h. 红海
9. 流域面积最广的河流	i. 俄罗斯
10. 世界上最寒冷的地区	j. 万里长城

4 写一写

交通工具	好　处	坏　处
船	空气清新,不会有交通堵塞,不受红绿灯管制	
公共汽车		人多,有时堵车,空气污染
地铁		
自行车		
轿车		
摩托车		
电车		
火车		
飞机		

参考词语:

清新　车票　准时　快　慢　舒适　便宜　贵　方便　堵车　人多
天气　危险　台风　开　停开　污染　车祸　花费　存放　空气
比较　红绿灯　交通堵塞　锻炼身体

5 词汇扩展

①速
- 速战速决
- 光速
- 加速
- 全速
- 速成
- 不速之客
- 速记员
- 速食面
- 速效
- 速写

②肥
- 以公肥私
- 肥料
- 肥肉
- 肥头大耳
- 施肥

③绝
- 隔绝
- 谢绝参观
- 绝对
- 绝技
- 绝交
- 绝情
- 绝境
- 绝路
- 绝命书
- 绝望
- 绝招

④破
- 识破
- 打破
- 破产
- 破除
- 破费
- 破格
- 破获
- 破镜重圆
- 破旧立新
- 破口大骂
- 破例
- 破门而入
- 破灭
- 破相
- 破折号

⑤滥
- 泛滥成灾
- 滥用

⑥灾
- 天灾人祸
- 救灾
- 防灾
- 灾民
- 灾难
- 灾区

⑦污
- 污点
- 污迹
- 污泥

⑧宁
- 安宁
- 宁日
- 宁可
- 宁肯
- 宁愿

⑨染
- 染病
- 染料
- 染色
- 染发

⑩废
- 半途而废
- 修旧利废
- 作废
- 废除
- 废话连篇
- 废旧物资
- 废料
- 废品／物

⑪责
- 尽责
- 指责
- 责备
- 责怪
- 责骂
- 责问

⑫浪
- 风平浪静
- 冲浪
- 海浪
- 浪头

⑬倍
- 四倍
- 加倍
- 倍加
- 倍数
- 倍增

⑭伞
- 雨伞
- 阳伞
- 打伞
- 跳伞
- 伞兵

⑮乱
- 乱作一团
- 杂乱无章
- 动乱
- 乱说
- 乱弹琴
- 乱套子
- 乱子

⑯采
- 采茶
- 采药
- 无精打采
- 采访
- 采购
- 采矿
- 采用

6 阅读理解

警惕噪音

现代的年轻人不但喜欢听流行的摇滚乐,还喜欢玩游戏机。他们可能还没有意识到,这些娱乐活动发出的噪音对他们的听觉是十分有害的。

请看以下一组数字:都市里机动车辆产生的噪音大约为85分贝,奔驰的火车发出的噪音为80-90分贝,飞机起飞时的噪音为120-140分贝。长时间身处120分贝以上的环境里会使耳朵感到疼痛。玩游戏机产生的噪音在88分贝以上,戴耳机听音乐的声音强度可达到114分贝。

科学家们指出,如果人们长时间受到85分贝以上噪音的刺激,不仅听觉会受到损害,而且人的情绪和工作能力也可能会受影响,严重的可能会感到头晕目眩,甚至失眠。

由此可见,喜欢玩游戏机和听摇滚乐的年轻人,一定要注意保护自己的听觉,以免受到噪音的伤害。

查字典:

1. 警惕
2. 意识
3. 听觉
4. 分贝
5. 刺激
6. 失眠
7. 由此可见
8. 以免

根据上文判断正误:

☐ 1) 摇滚乐和游戏机发出的噪音超过140分贝。

☐ 2) 人的耳朵能长期承受120分贝以上的噪音。

☐ 3) 飞机起飞时发出的噪音比市内交通车辆发出的噪音强多了。

☐ 4) 长期受到85分贝以上噪音的刺激会使人变成哑巴。

☐ 5) 噪音不仅损害人的听觉,而且对人的视觉也有影响。

7 作文

观察一下你就读的学校目前在环境污染和回收利用这两个方面存在哪些问题。写一封信给你的校长,提出你的改进建议,内容必须包括:

- 存在的问题
- 怎样回收废物(废纸、饮料盒等等)
- 怎样做宣传

8 写一写

评论一下政府在以下几个方面做得怎么样? 有哪些需要改进?

1. 生活环境: 我觉得我们生活的环境应该得到保护, 政府应该多花点钱保证我们的食用水干净、空气清新和社区安全。

2. 教育: _____

3. 交通: _____

4. 住房: _____

5. 就业: _____

9 偏旁部首与汉字

偏旁	读法	意义	写出以下字的意思			
耳	耳字部	多与耳朵或听觉有关	取	闻	聪	联
隹 (zhuì)	隹字旁	①偏旁: 多与鸟类有关 ②声旁	雄 谁	推	堆	
雨	雨字旁	多与下雨或气象有关	雪	雷	露	零
酉 (yǒu)	酉字部	多与酒有关	醒	酪	酱	醋
页	页字旁	多与头有关	颜	顶	项	领

10 找反义词

1. 苦恼 _____
2. 严冬 _____
3. 理想 _____
4. 临时 _____
5. 上升 _____
6. 耐心 _____
7. 民主 _____
8. 贫弱 _____
9. 平装 _____
10. 破坏 _____
11. 节约 _____
12. 贫苦

酷暑　　下落　　专治　　精装
厌烦　　愉快　　浪费　　保护
长期　　强大　　富足　　现实

11 配对

1. 鹤立鸡群
2. 杀鸡取卵
3. 鸡飞蛋打
4. 鸡毛蒜皮
5. 鸡犬不宁
6. 鸡蛋里挑骨头
7. 鸡蛋碰石头
8. 偷鸡不成蚀把米
9. 杀鸡儆猴

a. 比喻贪图眼前小利，而损害根本利益。
b. 比喻人的仪表或才能出众。
c. 比喻惩罚一个来警告其余的。
d. 形容骚扰得很利害。
e. 比喻两头落空，什么都没有了。
f. 比喻力量悬殊，不是对手。
g. 比喻便宜没占到，反倒自己受损失。
h. 比喻故意挑毛病。
i. 比喻无关紧要的琐事。

12 翻译

1. 工业化程度越来越高，工厂需要的工人却越来越少，所以解决再就业问题就变得越来越迫切。

2. 田里用的化肥和农药虽然能增产和消灭虫害，但同时也造成了污染。

3. 由于近十几年来乱砍滥伐树木的现象不断发生，这个地区的沙尘暴比以往更频繁了。

4. 在这个江南小镇上，建筑工地到处可见，宁静的小镇一去不复返了。

5. 机动车辆一方面给人类带来很多便利，但另一方面，车辆排出的废气污染空气，甚至造成"温室效应"。

6. 近十几年来，中国的国民经济增长平稳上升，人们的生活水平逐年提高。

7. 政府为了保证本年度财政收支平衡，已经采取了一系列措施促进生产和消费。

8. 由于目前经济不景气，一部分大学生一毕业就面临着失业。

9. 由于森林大面积消失，水土流失的现象越来越严重了，以致大片大片的农田变成了沙漠。

10. 现在，几乎所有的中国家长都为子女创造了良好的学习条件，以便他们能接受最好的教育。

13 作文

世界上许多国家面临着淡水紧缺的问题。怎样来解决这个问题呢？我们可以采取哪些措施呢？以下有两个作文题，选做一个。

① 解决淡水问题的办法有这些，请陈述一下。
- 进口淡水
- 节约用水
- 淡化海水
- 限制用水
- 循环用水
- 用海水冲厕所

② 假设你居住的地区今年遇到了旱灾。你是市长，你规划一下全市居民应该怎样节约用水，并制定有关对策。

14 阅读理解

室内污染

如今人们都十分清楚室外污染的危害，但室内污染也应受到关注，不应被忽视。

室内污染的源头来自室外进入的废气，建筑材料和装修材料散发出来的有毒气体，室内取暖、做饭时排放出来的废气，还有家庭使用的化学清洁剂、饲养宠物等等。这些都可能会对室内造成污染。

室内污染不仅是空气污染，而且有生物污染，尤其是在环境温暖潮湿的地区更为严重，比如使人过敏的花粉、成群结队的蟑螂，以及其他的细菌和昆虫等都可能会引起各种传染病。

面对这些污染，每个人能做到的就是要注意个人卫生，室内经常通风换气，不要在室内吸烟、养宠物，装修房屋时挑选质量好的环保材料以减少污染。

查字典：

1. 忽视
2. 材料
3. 装修
4. 散发
5. 清洁剂
6. 饲养
7. 过敏
8. 花粉
9. 成群结队
10. 蟑螂
11. 细菌
12. 昆虫
13. 传染病
14. 挑选

造句：

1. 污染
2. 清楚
3. 严重
4. 注意
5. 挑选
6. 引起

15 做一张传单

号召你所居住小区的每个家庭行动起来，做好垃圾分类及回收利用工作，以确保整洁、卫生的生活环境。

以下只是提纲：
- 存在的问题
- 行动的目的
- 采取的措施
  - 垃圾分类
  - 垃圾包装
  - 垃圾回收站
  - 垃圾回收时间

16 翻译

受 { 影响 感动 欢迎 惩罚 约束 教育 照顾 伤害 }

1. 农业的收成往往受气候的影响。
2. 特里萨修女把她的一生献给了慈善事业，她的事迹令我很受感动。
3. 这种新款式的全自动洗衣机一问世就很受家庭主妇的欢迎。
4. 他从来不听从老师和家长的教育，最终走上了犯罪道路，受到了应有的惩罚。
5. 大部分青少年不喜欢受任何约束，喜欢自由。
6. 作为日后的国王，查尔斯王子从小就受到严格的宫廷教育。
7. 我爷爷住院期间受到医生和护士的精心照顾，不久就康复出院了。
8. 为了不使她太受伤害，妈妈不想把爸爸战死的细节告诉她。

17 解释下列词语（注意带点的字）

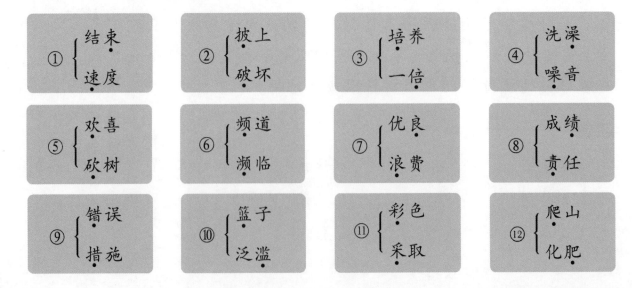

① { 结束 / 速度 }
② { 披上 / 破坏 }
③ { 培养 / 一倍 }
④ { 洗澡 / 噪音 }

⑤ { 欢喜 / 砍树 }
⑥ { 频道 / 濒临 }
⑦ { 优良 / 浪费 }
⑧ { 成绩 / 责任 }

⑨ { 错误 / 措施 }
⑩ { 篮子 / 泛滥 }
⑪ { 彩色 / 采取 }
⑫ { 爬山 / 化肥 }

恐 龙

恐龙（Dinosaur）一词来自希腊语。恐龙大约生存在二亿多年前，它们占领了地球的海、陆、空，没有其他动物可与它们抗衡。可是，在6,500万年前，这些在地球上生存了长达一亿多年之久的动物突然绝种了，这成了科学上的一个不解之谜。

根据古生物学家对恐龙化石的研究推断，恐龙的体积有大也有小：有些恐龙身躯庞大，身高有三十公尺，体重有三四十吨；有些恐龙有两条腿，有的四条腿；有的是食草动物，有的是食肉动物；有的皮肤光滑，有的皮肤上有鳞。但是它们有一个共同之处：所有的恐龙脑袋都很小，它们都把蛋生在陆地上。

关于恐龙的灭绝有很多种说法与猜测。一种说法是，当时出现了大规模的火山爆发，产生了大量的有毒气体，破坏了地球的植被以及恐龙的生存环境。另一种说法是由于陨石撞击地球，造成了空前灾难，地球的生态环境遭到了破坏，断绝了恐龙的食源。还有一种比较一致的说法是，恐龙是一种温血动物，习惯温和的、变化不大的环境，可是后来地球气温下降，恐龙无法适应气候的变化而绝迹了。

根据上文选择正确答案：

1. a) 恐龙生存在一亿年前。

   b) 几千万年前除了恐龙以外，地球上没有其他动物。

   c) 6,500万年前恐龙从地球上突然绝迹了。

2. a) 恐龙都有四条腿。

   b) 恐龙的头都很小。

   c) 恐龙是哺乳动物。

3. a) 恐龙都是食肉动物。

   b) 有的恐龙吃草。

   c) 有的恐龙吃鱼，所以身上长鳞。

4. 对恐龙灭绝的猜测之一是_____。

   a) 它们可能被山火烧死

   b) 由于气候变暖，它们不适应新的生存环境

   c) 由于陨石撞击地球，恐龙的食源受到了破坏

查字典：

1. 占领
2. 抗衡
3. 不解之谜
4. 化石
5. 推断
6. 身躯
7. 庞大
8. 鳞
9. 灭绝
10. 猜测
11. 规模
12. 植被
13. 陨石
14. 撞击
15. 空前
16. 遭到
17. 一致
18. 下降
19. 绝迹

19 翻译

1. 全世界每年有143,000平方公里的森林从地球上消失。

2. 每个美国人和加拿大人每天产生1.5公斤的垃圾。

3. 世界上大约有三分之一的人口没有干净的饮用水。

4. 汽车排出的废气使空气和环境变坏。

5. 每个人都有责任保护自然环境。

6. 酸雨给森林、农作物及海洋生物带来很大危害。

7. 现在染发的人越来越多，这不单浪费钱，而且对身体也有害。

8. 垃圾问题是世界上每个大城市面临的共同问题。

9. 化学物品、废气排放破坏了欧洲和北美洲上空约10%的臭氧层。

10. 由于人们的环保意识不断提高，"生态旅游"开始流行起来。

20 翻译

大熊猫

熊猫是一种非常珍贵的动物，是中国的"国宝"。目前在中国境内，熊猫的数目已不多了，所以它被列为中国一级保护动物。

熊猫看上去很像熊，但是比熊略小。它们的尾巴短得可爱，腿短短的，头大大的，身上的毛黑白分明。它们的眼睛又黑又大，以八字形挂在脸上，看上去像戴了一副墨镜。它们走起路来一摇一摆，样子真是人见人爱。熊猫性情温顺、喜欢独居、善于爬树。它们通常生活在2,000－4,000米的山上、茂密的竹林深处。虽然人们常见熊猫抱着竹子吃，但是熊猫的祖先却是食肉动物。据说熊猫的食量很大，每天要吃掉20公斤的嫩竹。

词语解释：

1. 列 list

2. 略 brief; slightly

3. 温顺 submissive; meek

4. 善于 be good at

5. 茂密 (of grass or trees) thick; dense

6. 嫩 tender; delicate

作文：

写一种濒临绝种的珍奇动物或一种恐龙，内容必须包括：

    – 它叫什么名字   – 它的长相、外表

    – 它生活在哪个地区   – 它的性情及习性

    – 目前的处境(仅适用于濒临绝种的动物)

21 《西游记》连载（十） 孙悟空三打白骨精

一天，三藏师徒四人来到一座高山前。师父饿了，叫悟空去找个人家给他化斋。悟空飞到山上四处张望①，发现附近没有人烟②。其实，山里住着一个白骨精，她看见唐僧路过这里去西天取经，便很想吃他的肉，因为吃了唐僧肉就可以长生不老。

白骨精把自己变成了一个美丽的女子，手提饭篮来到唐僧面前。女子细声细气③地对唐僧说："长老，我给师父送饭来了。"正在这时，悟空回来了，他一见这女子是白骨精变的，马上取出金箍棒，一棒打下去，白骨精立刻化作一阵青烟，直上天空，只留下一具假尸体。过了一会儿，白骨精变成了一个老太婆，说来找她的女儿。悟空一见白骨精又来骗人，眼明手快④，举起金箍棒当头打下，白骨精慌忙逃走，又留下一具假尸体。唐僧见悟空一连杀了两条人命，气得念了二十遍紧箍咒，悟空痛得在地上打滚，只是求饶⑤。再过了一会儿，白骨精又变成了一个老头，说是来找他的老伴和女儿。悟空一听，笑着说："你这白骨精，又来骗我师父。"话还没说完，悟空舞起金箍棒当头一棒，白骨精来不及⑥躲，被悟空打死了，留下一堆白骨，上面写着"白骨夫人"。

用中文解释下列词语：

1. 四处张望

2. 没有人烟

3. 细声细气

4. 眼明手快

5. 求饶

6. 来不及

根据上文选择正确答案：

1. a) 三藏师徒四人来到一户人家化斋。
   b) 有一天，三藏三人来到一座山前，只感到山里有妖气。
   c) 三藏就是唐僧。
   d) 唐僧有四个徒弟：悟空、悟净、八戒和观音。

2. 白骨精想吃唐僧的肉，原因是她想_____。
   a) 做唐僧的徒弟　　c) 一直活下去
   b) 升天　　d) 变成一个美丽的女子

3. a) 为了能吃到唐僧的肉，白骨精一共变了四次。
   b) 白骨精原来是一个老太婆变的。
   c) 白骨精使的诡计被唐僧识破。
   d) 悟空一眼就能识破白骨精的诡计。

4. a) 唐僧对悟空误杀无辜非常气愤。
   b) 唐僧念紧箍咒是为了征服白骨精。
   c) "白骨夫人"想陪唐僧去西天取径。
   d) 最后是悟净用金箍棒把白骨精打死。

阅读(十)　女娲补天

1 根据课文判断正误

□ 1) 在古代，山神和水神曾发生一场大战。

□ 2) 水神战败后把天冲了一个洞。

□ 3) 天上因为有了洞，春秋季节常下暴雨。

□ 4) 女娲直接用五色石补天。

□ 5) 女娲用了一年的时间把天补好了。

□ 6) 对于女娲补天这件事，老天爷很合作。

□ 7) 女娲用五色冰块补了西北角的那块天。

□ 8) 从西南方向吹来的风常常带来暴雨。

2 配图

1. 床垫　　2. 床单　　3. 床罩　　4. 被子　　5. 毛毯　　6. 枕头　　7. 席子

8. 蚊帐　　9. 衣架　　10. 镜子　　11. 抽屉　　12. 凳子　　13. 窗帘　　14. 婴儿床

3 给带点的字写拼音

① { 责任 / 成绩 }　② { 一束花 / 速度 }　③ { 频道 / 濒临 }

④ { 不良 / 浪费 }　⑤ { 山羊 / 氧气 }　⑥ { 家家户户 / 火炉 }

4 词汇扩展

① 夹 { 文件夹 / 发夹 / 夹克 / 夹生饭 / 夹心巧克力 / 夹心饼干 / 夹子 }

② 撞 { 撞车 / 撞撞运气 / 撞见 }

③ 狂 { 发狂 / 狂欢节 / 狂人 / 狂笑 }

④ 顿 { 一顿饭 / 安顿 / 整顿 / 顿号 }

⑤ 洞 { 地洞 / 山洞 / 无底洞 / 桥洞 / 洞房花烛夜 }

5 解释下列词语（注意带点的字）

① { 一幢楼 / 撞见 }　② { 相同 / 山洞 }　③ { 妒嫉 / 火炉 }　④ { 练习 / 炼钢 }

⑤ { 逛街 / 狂风 }　⑥ { 抱歉 / 冰雹 }　⑦ { 鸡丁 / 宁静 }　⑧ { 来往 / 夹杂 }

6 配对

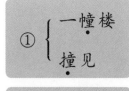

1. 百里挑一
2. 信心百倍
3. 百年不遇
4. 百读不厌
5. 百思不解
6. 百闻不如一见

a. 形容文章写得好，能吸引人。

b. 形容出众、极为难得的人或物。

c. 经过多次思索，仍然不能理解。

d. 指耳闻不如亲眼看见可靠。

e. 形容机会难得。

f. 比喻非常有信心。

第十一课　新科技

1 填空

电子邮箱登记表

1. 你是学生吗？　□是　□否　　学生编号 _____

   如果不是，你现在在哪儿居住？ _____

2. 填入你想用的电子邮箱 (user ID)

   □□□□□□□□□□ @henglong.com

   （例子：lmecd@henglong.com）

   输入你的密码（八位数，字母或数字，但不准用任何符号）

   □□□□□□□□

3. 私人资料

   姓：_____　名：_____　别名：_____

   性别：□男　□女　出生日期：□□□□年□□月□□日

4. 职业 _____

5. 你的嗜好（可以选两个以上）

   □娱乐　　　□体育　　　□财经　　　□历史　　　□其他

   □逛街购物　□电脑　　　□军事　　　□美容

   □音乐　　　□旅游　　　□影视　　　□烹饪

2 翻译

介词：
朝
向
往
从
在

1. 我的新房间朝南，窗子很大，很亮堂。

2. 她很好学，常常向老师请教一些难题。

3. 以后的电脑将朝着更智能化的方向发展。

4. 去展览馆得先往右拐，然后一直走五分钟就到了。

5. 在住院的那段时间，他情绪一度很不稳定，几次想了结自己的生命。

6. 他从一家小杂货店起家，发展到如此规模的大百货公司，这花费了他半辈子的心血。

146

3 翻译

电子货币

随着互联网的迅速发展,人们的生活也一步步地跟网络联系在一起了,电子货币正在慢慢地取代现在通用的纸币、硬币、支票、信用卡等。

如今在香港,人们可以用一种叫"八达通"的充值卡乘搭公共交通,可以在店里买东西,既方便又轻松。人们还可以通过互联网交税、买东西、转帐等,再也不用亲自跑到税务局、商店、银行排队了。将来用电子货币购物,再也不用担心没有带现钞和零钱了。

用电子货币有很多好处。它方便,外出时不用带很多钱,也不会再有假钞现象出现。然而,用电子货币也有它的缺点:黑客有可能从网上偷走你的私人资料及帐户文件。

词语解释:

1. 联系 contact

2. 取代 replace

3. 交税 pay tax

4. 转帐 transfer accounts

5. 税务局 tax bureau

6. 设想 imagine

7. 现钞 cash

8. 现象 phenomenon

9. 黑客 hacker

10. 帐户 account

4 完成下列句子

不久的将来,以下这些将会被什么代替?

1. 心算、笔算和中国的算盘将<u>被电脑代替。有了电脑,很多研究数据可以通过电脑算出来,既快又准确。</u>

2. 翻译员 _____

3. 汽车 _____

4. 食物 _____

5. 字典 _____

6. 电视机 _____

5 解释下列词语(注意带点的字)

① { 深水 / 探望 }

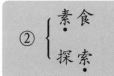
② { 素食 / 探索 }

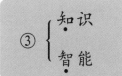
③ { 知识 / 智能 }

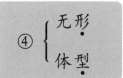
④ { 无形 / 体型 }

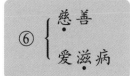
⑤ { 妒嫉 / 疾病 }

⑥ { 慈善 / 爱滋病 }

⑦ { 桔子 / 清洁 }

⑧ { 统一 / 充分 }

6 阅读理解

机器人

如今，机器人在人类生活中扮演着越来越重要的角色。在工业、农业、商业、医疗、太空、科研等领域，机器人已能代替人类做各种各样的工作。

尤其是在近十几年里，科学家们已经研制出智能机器人。这种机器人不仅可以在医院、工厂、核电厂等地"工作"，还可以在高空和海底进行危险的、难度大的或重复性强的工作。机器人甚至还能上太空替人类完成艰巨的任务。

机器人护士已在美国、日本等先进国家使用。它们能替四肢瘫痪的病人刷牙、倒水、做家务；有的还可以帮病人坐上轮椅、替病人洗澡。在医院里，这种智能机器人还能替医生、护士传送病例、检验报告等。

家用机器人也相当聪明。它们能为主人当警卫、接待客人、做各种各样的家务。如果有客人来，它们还会与客人握手，并能与客人对话。

查字典：

1. 重复
2. 艰巨
3. 肢
4. 瘫痪
5. 传送
6. 病例
7. 检验
8. 警卫
9. 接待
10. 握手

作文：

写一写机器人，内容必须包括：

－如果你家里有一个机器人，你会让它为你做什么

－家里有机器人有什么好处与坏处

7 找反义词

1. 梦幻 _____   7. 答应 _____

2. 明亮 _____   8. 创建 _____

3. 强迫 _____   9. 放弃 _____

4. 齐备 _____   10. 发达 _____

5. 安定 _____   11. 动摇 _____

6. 保留 _____   12. 惩罚 _____

阴暗	坚持	短缺	奖赏
自愿	坚定	现实	取消
回绝	落后	废除	动乱

8 翻译

自行车高速公路

一些欧美国家正在研究并希望在不久的将来建造全封闭的自行车高速公路，使自行车成为21世纪最流行的交通工具。

科学家们计划在一些大城市的主要公路上开辟全封闭的通道，安装上大型风扇，风力会使骑车人毫不费力就能飞速前进。

据说，修建这种全封闭自行车高速公路的费用不会很高。试想，中国是一个自行车王国，如果能建造这样的自行车高速公路，也一定会受到欢迎，而且还会为环保做出巨大的贡献。

猜一猜：

1. 封闭
2. 高速
3. 开辟
4. 安装
5. 毫不费力
6. 飞速
7. 前进

> 设计一种环保、实用、经济、大众化的交通工具

9 写一写

不良行为	你会有什么反应？
1. 在公共场所吸烟	这种人真缺德，不顾别人。
2. 在墙上乱写乱画	
3. 破坏公共财物	
4. 乱扔垃圾	
5. 乱吐痰	
6. 看电影时高声说话、吃东西	
7. 在饭店里吃东西时声音太响	
8. 吃完口香糖后乱扔	
9. 排队时加塞儿	
10. 带着宠物到处撒尿	
11. 家长在街上当众骂自己的孩子	
12. 在公共场所大喊大叫	
13. 音乐开得很响	

参考词语：

真让人受不了　太差劲了　缺德　太自私　真烦人　最恨……　讨厌
公德心太差　不顾别人　真气人　没教养　不文明　脸皮太厚

10 配对

1. 狗急跳墙

2. 狐朋狗友

3. 狗改不了吃屎

4. 狗屁不通

5. 狗嘴里吐不出象牙

6. 狗拿耗子，多管闲事

a. 泛指人说话或写文章在逻辑上或语法上有毛病，内容不可取。

b. 比喻坏人改不了干坏事的本性。

c. 比喻在走投无路时不考虑后果的蛮干。

d. 比喻相互勾结的一伙坏人。

e. 比喻干涉、过问与自己无关的事。

f. 比喻不好的人说不出好话。

11 偏旁部首与汉字

偏旁	读法	意义	写出以下字的意思			
竹	竹字头	多与竹有关	篮	箭	笔	筷
			笼	筒	签	简
虫	虫字旁	多与昆虫有关	蛇	虾	蛋	蛙
走	走字旁	多与急走、跑动有关	起	超	越	赶
羽	羽字旁	多与羽毛有关	翅	翻	扇	
米	米字旁	多与粮、米有关	粉	糕	精	粗

12 翻译

1. 现在的航天科技发展日新月异，在不久的将来宇宙飞船会把游客送到其他星球上去旅游。

2. 基因序列图已经完成，这将给制药工业带来新的商机。

3. 火星上至今还没有发现生命，而其他星球上是否有生命存在还有待探索。

4. 科学家们相信，对爱滋病、白血病和糖尿病的医治不久将取得重大的突破。

5. 为了进一步开发和利用天然气，中国政府正在兴建管道，把西部地区的天然气输送到中国的东南部。

6. 安装在房顶上的太阳能片能产生足够的电，供一家五口一天所需的照明、烧热水及做饭用。

7. 教育界普遍认为学校的任务不仅仅是传授知识，而且要加强对学生的素质教育。

8. 每个国家都应该合理地利用本国的自然资源，为后人留下更多的财富。

13 阅读理解

20世纪的科技成果

飞机—— 1903年，美国人莱特兄弟制造的飞机试飞成功。如今，飞机已经成为一种重要的现代化交通工具。

电视—— 1923年，俄裔美国人兹沃里发明了电视机。如今几乎每个家庭都有电视机。

青霉素——1928年，英国细菌学家弗莱明发现了青霉素。它使人类的平均寿命延长了大约十年。

核能—— 20世纪40年代，原子弹在美国研制成功，它是一种威力强大的超级武器。核能又是一种新能源。1954年，前苏联建成了第一座核电站。

电脑—— 1946年2月，电脑在美国诞生。电脑使信息工业在20世纪成为与工业和农业相等的一个新兴产业。

人造卫星—— 1957年10月4日，前苏联发射了第一颗人造卫星。1970年4月24日，中国第一颗人造卫星"东方红1号"发射成功。

激光—— 1960年，美国物理学家西奥·梅曼研制出了世界上第一台激光仪器。

机器人—— 1968年，第一台具有人工智能的机器人在美国诞生。20世纪80年代起，机器人开始在生产领域被大量使用。

试管婴儿——1978年7月25日，英国妇女莱斯特生下第一个试管婴儿，取名路易丝·布朗。

克隆—— 1997年2月，英国科学家们成功地克隆了一只叫"多利"的绵羊。

查字典：

1. 成果
2. 青霉素
3. 平均
4. 延长
5. 原子弹
6. 威力
7. 人造卫星
8. 颗
9. 激光
10. 试管婴儿
11. 克隆
12. 绵羊

造句：

1. 制造
2. 发明
3. 使用
4. 发现

根据上文判断正误：

- [ ] 1) 在20世纪，信息工业跟工业和农业一样重要。
- [ ] 2) 弗莱明的青霉素为人类延长寿命作出了巨大贡献。
- [ ] 3) 绵羊"多利"是现代生命科技的一个产物。
- [ ] 4) 中国的第一颗人造卫星比苏联的第一颗晚了20年。
- [ ] 5) 核能也能发电。
- [ ] 6) 电视是一个美国人发明的，但这位科学家的祖籍是俄国。

14 词汇扩展

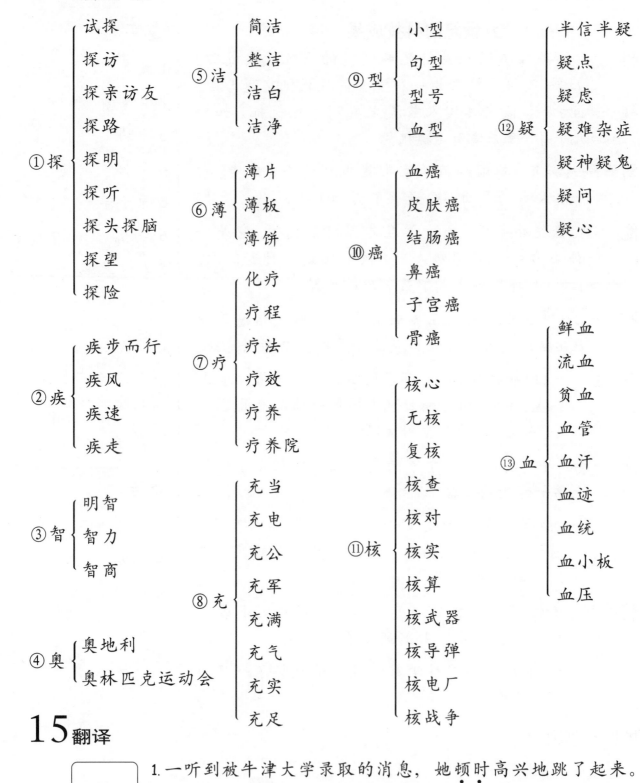

① 探
{
试探
探访
探亲访友
探路
探明
探听
探头探脑
探望
探险
}

② 疾
{
疾步而行
疾风
疾速
疾走
}

③ 智
{
明智
智力
智商
}

④ 奥
{
奥地利
奥林匹克运动会
}

⑤ 洁
{
简洁
整洁
洁白
洁净
}

⑥ 薄
{
薄片
薄板
薄饼
}

⑦ 疗
{
化疗
疗程
疗法
疗效
疗养
疗养院
}

⑧ 充
{
充当
充电
充公
充军
充满
充气
充实
充足
}

⑨ 型
{
小型
句型
型号
血型
}

⑩ 癌
{
血癌
皮肤癌
结肠癌
鼻癌
子宫癌
骨癌
}

⑪ 核
{
核心
无核
复核
核查
核对
核实
核算
核武器
核导弹
核电厂
核战争
}

⑫ 疑
{
半信半疑
疑点
疑虑
疑难杂症
疑神疑鬼
疑问
疑心
}

⑬ 血
{
鲜血
流血
贫血
血管
血汗
血迹
血统
血小板
血压
}

15 翻译

{
顿时
立刻
立即
马上
}

1. 一听到被牛津大学录取的消息，她顿时高兴地跳了起来。
2. 医生一发现他得了传染病，就立刻把他送进了隔离病房。
3. 任何人如果发现有人在校园里抽烟，应立即报告校长。
4. 你到了北京之后，请马上跟公司联系。
5. 听到外婆病逝的消息，他立刻失声痛哭了起来。
6. 叶公一见到真龙，顿时吓得面如土色。

16 翻译

诺贝尔奖

2001年12月10日是诺贝尔奖一百周年纪念日。一百年前，瑞典科学家诺贝尔先生临终前将他的巨额财产几乎全部用来设立基金，每年取出基金利息作为奖金，奖给对人类文化、科学事业作出巨大贡献的人。当时人们对他的做法不理解。一百年后，诺贝尔奖却成了全世界最受关注的奖项，也成了瑞典人的骄傲。

一百年间，全世界共有20多个国家的400多位科学家获得了此奖，其中有六位是华裔科学家。

诺贝尔奖分为物理学、化学、生物学和医学、文学、和平、经济六种奖金。每项诺贝尔奖的奖金大约为96万美金。

词语解释：

1. 诺贝尔 Nobel
2. 临终 on one's deathbed
3. 巨额 huge sum
4. 财产 property
5. 设立 establish
6. 基金 fund
7. 利息 interest
8. 奖金 money award
9. 做法 way of doing a thing
10. 项 measure word

17 猜一猜

新词汇

1. 炒鱿鱼	4. 女强人	7. 发烧友	10. 跳槽
2. 追星族	5. 打工仔／妹	8. 泡吧	11. 伊妹儿
3. 猎头公司	6. 泡沫经济	9. 短讯	12. 下海

18 续作

"地球村"

由于媒体的迅速发展，交通的日益发达，世界也因此一天天变小，正在变成一个"地球村"。这就意味着各个国家之间的交往将更加频繁，各国人民之间的接触会更加密切，甚至以后人们的工作、学习和生活环境都会时常变动。

_____

_____

提纲：

－家庭生活

－夫妻关系、婚姻

－工作地点

－交通

－语言

－货币

－文化、传统、习俗

攻克爱滋病的先行者 —— 何大一

查字典：

1996年，何大一被美国的《时代杂志》评选为风云人物，成为继蒋介石、宋美龄、邓小平后，第四位获此荣誉的中国人。在这之前，他已花了十六年的时间研究爱滋病。他发明的爱滋病鸡尾酒疗法使可怕的爱滋病有望根治。

何大一于1953年出生在台湾，他自小聪明过人，喜欢挑战自己。1965年他随母亲及家人赴美与父亲团聚。刚到美国时，他一句英文也不会讲。但凭着要强、好胜的性格，他以优异的成绩考入加州理工学院。1978年，他进入哈佛医学院攻读医学博士。自1981年从哈佛医学院毕业后，他开始专攻爱滋病。随后的15年中，他一头埋进了对爱滋病的研究，直至1996年，他发现混合几种药物，可杀死大量爱滋病病毒，这便是后来人们所说的"鸡尾酒疗法"。自这种疗法出现后，爱滋病由绝症转为一种可以受控制的病。1995年接受此药治疗的人现在还健在。

2001年1月，何大一荣获美国前总统克林顿颁发的"总统公民勋章"，成为唯一获此殊荣的华人。

1. 先行者
2. 评选
3. 风云人物
4. 荣誉
5. 鸡尾酒
6. 凭着
7. 优异
8. 混合
9. 绝症
10. 健在
11. 荣获
12. 颁发
13. 勋章
14. 殊荣

根据上文回答下列问题：

1. 在何大一之前还有哪几个华人曾被《时代杂志》评选为风云人物？

2. 何大一小时候是个怎样的孩子？

3. 何大一在哪两所大学就读过？

4. 何大一花了多少年的心血研究出"鸡尾酒疗法"？

5. "鸡尾酒疗法"能不能治好爱滋病？

6. 在何大一之前有没有华人荣获美国的"总统公民勋章"？

20 作文

"电脑对人类的贡献"作文比赛

主题内容：电脑对人类的贡献

题目：自定

格式：自选

文字：中文

字数：300个字以内(包括标点符号)——小学

400个字以内(包括标点符号)——中学

600个字以内(包括标点符号)——大学

参赛规则：小学组(四年级—六年级)

中学组(七年级—十三年级)

大学组

奖项：每组评选出各一名

冠军：可获现金 $500.00 及奖杯一个

亚军：可获现金 $300.00 及奖杯一个

季军：可获现金 $150.00 及奖杯一个

优异奖：可获现金 $100.00

递交作品日期：两星期后

得奖结果将刊登在下个月的校刊上

21 完成下列句子

1. 如果没有汽车，那么<u>自行车就可能成为主要的交通工具。</u>

2. 如果没有飞机，那么 _____

3. 如果石油用完了，那么 _____

4. 如果每个人都戒烟，那么 _____

5. 如果一个星期没有电，那么 _____

6. 如果 _____

7. 如果_____

8. 如果_____

22 《西游记》连载(十一)　真假孙悟空

一路西行中，悟空打死了不少妖精和强盗，师父忍无可忍，一定要让悟空走。悟空不知道求了师父多少次了，但师父不肯再收下他，悟空只能离开。去哪儿呢？回花果山怕丢脸，投奔玉皇大帝怕被人笑话，天地之大，却没去处，他只能求观音帮忙。观音暂时留下悟空，等唐僧消了气后再说。

悟空走后，唐僧觉得口渴，就叫八戒和沙僧去找水。当唐僧一个人坐在青石板上时，忽然，悟空出现在他面前并递上一杯水让师父喝。唐僧气还没消，赌气不喝悟空手里的水。这时，悟空变了脸①，一拳打在唐僧头上，把他打昏②了，然后驾云而去。唐僧醒来后将悟空把他打昏的事告诉了八戒和沙僧。沙僧气得去花果山找悟空，悟空又把沙僧打跑了，沙僧只好去观音那里求助。沙僧在观音那里看到了真悟空。真相③大白，于是两人一同去花果山找假悟空算帐。因为真、假悟空长得一模一样④，连声音和武功都一样，谁也分不清。最后他们来到如来佛面前，如来佛一眼就看穿⑤了假悟空，原来他是一只六耳猴变的。如来佛用金钵把假悟空扣住了。如来佛劝唐僧收回悟空，因为一路西行，悟空确实立了不少功劳。唐僧也需要悟空的保护才能顺利地到达西天取回佛经。最后，唐僧原谅了悟空。师徒四人又高高兴兴地上路了。

选择正确答案：

1. 变了脸
   a) 对人的态度突然变得不好
   b) 变戏法
2. 打昏
   a) 殴打使失去知觉
   b) 打倒在地
3. 真相
   a) 长相
   b) 本来面目
4. 一模一样
   a) 没有两样
   b) 模仿
5. 看穿
   a) 穿透
   b) 识破

根据上文选择正确答案：

1. a) 唐僧实在忍受不了悟空的残酷，所以一定要让他离开。
   b) 唐僧求悟空离开他，但是悟空坚决不走。
   c) 悟空忍受不了唐僧对他的苛刻，不得不远走高飞。
   d) 悟空离开他师父后再也没回来。

2. 悟空离开他师父后，_____。
   a) 决定不了先去哪儿避一避
   b) 先回花果山小住一段时间
   c) 回玉皇大帝那儿暂时躲一下
   d) 太上老君把他留下了

3. a) 假悟空把唐僧打昏之后再去找真悟空算帐。
   b) 假悟空的武功比真悟空的还要好。
   c) 只有观音能识破假悟空的真面目。
   d) 如来佛一眼就辨别出真、假悟空。

4. a) 最后如来佛说服唐僧把悟空收下。
   b) 唐僧认识不到悟空对他西天取经是多么的重要。
   c) 虽然悟空立了不少功劳，但是唐僧去西天取经不一定需要他。
   d) 没有悟空在场，唐僧即使到了西天也取不到真经。

阅读(十一) 盘古开天地

1 根据课文判断正误

- ☐ 1) 传说宇宙就像一只大鸭蛋。
- ☐ 2) 盘古睡醒后眼睛睁不开。
- ☐ 3) 巨人盘古用头顶破了鸡蛋。
- ☐ 4) 天地分开后又再一次合了起来。
- ☐ 5) 天地之间有 90,000 里远。
- ☐ 6) 太阳是由盘古的左眼变的。
- ☐ 7) 盘古的血液变成了大海。
- ☐ 8) 天空中的星星原来是盘古的牙齿变的。

2 配图

| 1.樱桃 | 3.猕猴桃 | 5.菠萝 | 7.椰子 | 9.腰果 | 11.杏仁 |
| 2.枣 | 4.柚子 | 6.荔枝 | 8.柠檬 | 10.核桃 | 12.榛子 |

ⓐ
ⓑ
ⓒ
ⓓ
ⓔ
ⓕ

ⓖ
ⓗ
ⓘ
ⓙ
ⓚ
ⓛ

3 配对

1. 千方百计
2. 千篇一律
3. 千载难逢
4. 千里迢迢
5. 千真万确
6. 千里鹅毛
7. 千里之行，始于足下

---

a. 指文章公式化，很单调。

b. 想尽或用尽一切办法。

c. 比喻礼物虽轻，却情意深厚。

d. 比喻事情要取得成功，必须从开头做起，从小到大，逐步积累而成。

e. 形容路途十分遥远。

f. 形容情况非常确实，丝毫不假。

g. 形容机会非常难得。

4 词汇扩展

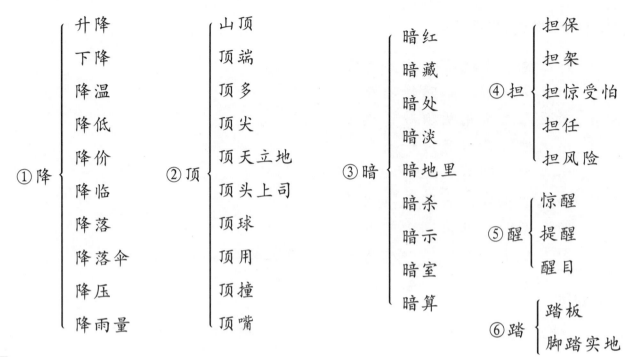

①降
- 升降
- 下降
- 降温
- 降低
- 降价
- 降临
- 降落
- 降落伞
- 降压
- 降雨量

②顶
- 山顶
- 顶端
- 顶多
- 顶尖
- 顶天立地
- 顶头上司
- 顶球
- 顶用
- 顶撞
- 顶嘴

③暗
- 暗红
- 暗藏
- 暗处
- 暗淡
- 暗地里
- 暗杀
- 暗示
- 暗室
- 暗算

④担
- 担保
- 担架
- 担惊受怕
- 担任
- 担风险

⑤醒
- 惊醒
- 提醒
- 醒目

⑥踏
- 踏板
- 脚踏实地

5 解释下列词语（注意带点的字）

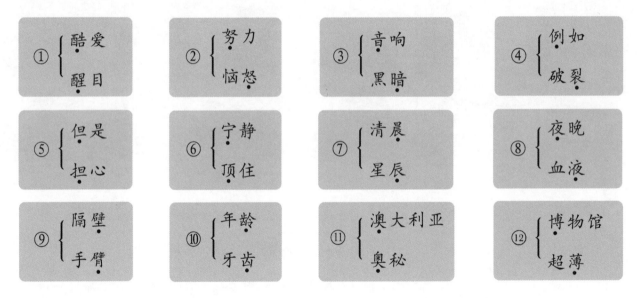

① 酷爱 / 醒目
② 努力 / 恼怒
③ 音响 / 黑暗
④ 例如 / 破裂
⑤ 但是 / 担心
⑥ 宁静 / 顶住
⑦ 清晨 / 星辰
⑧ 夜晚 / 血液
⑨ 隔壁 / 手臂
⑩ 年龄 / 牙齿
⑪ 澳大利亚 / 奥秘
⑫ 博物馆 / 超薄

6 翻译

1. 车祸发生后，她虽然身受重伤，但头脑还清醒。
2. 由于经营管理不善，这家医疗设备厂最终破产了。
3. 他怀疑自己得了绝症，心情坏极了。
4. 天然气是一种高效、清洁的能源。
5. 叔叔、婶婶每次来看爷爷、奶奶时，总是为他们买很多滋补品。
6. 爸爸冒着鹅毛大雪去医院看望生病住院的同事。

第十二课　健康之道

1 完成下列句子

1. 含有丰富维他命的水果有苹果、桔子、梨、葡萄、西瓜、草莓、哈密瓜、弥猴桃等。_____

2. 喜欢打球的人可以打乒乓球、_____

3. 喜欢集体活动的人可以去露营、_____

4. 喜欢去冷的地方度假的人可以去_____

5. 有高血压、糖尿病的人应该少吃_____

6. 疑难病症／不治之症有_____

2 发表你的意见

1. 禁止在所有的公共场所吸烟

2. 禁止学校的餐厅或小卖部卖可乐

3. 像新加坡一样，应该禁止吃口香糖

4. 应该规定不锻炼身体的人多付医疗费

5. 抽烟、喝酒的人不可以享受医疗保险

6. 偷猎国家级保护动物的人应该判死刑

7. 经常驾车的人应该多交养路费和空气污染费

参考词语：

（不）赞成

（不）同意

（不）合理

行得通

行不通

执行起来有困难

不人道

3 用所给词语填空

以内
以外
以来
以上
以下
以后
以前
以往

1. 医生让他十天_____去医院复查。

2. 八小时工作_____的时间你可以自行安排。

3. 二十人_____可以买团体票，打八折。

4. 医学家们预计在本年度_____将研究出治疗这种传染病的新药。

5. 长期_____，爱滋病被认为是不治之症。

6. 十二岁_____的儿童可以免费入场。

7. _____，她很开朗、乐观，现在她怎么好像变了一个人。

8. 根据_____的经验，他觉得用中、西医结合治疗这种疾病最有效。

159

4 阅读理解

中医理论

中医理论的形成在一定程度上同"阴阳五行学说"这一古老的哲学思想有关。这一学说是古人用来解释自然界中各种现象和事物间的关系的。

阴阳最初指向着阳光的事物为阳,背着阳光的叫阴,后来又引申为所有光明、温暖的东西或

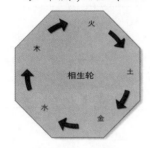

现象都为阳,而黑暗、寒冷的东西或现象为阴。白天为阳,黑夜为阴;春夏为阳,秋冬为阴;天为阳,地为阴;动为阳,静为阴等等。阴阳又是互相关联、互相转化,在不断的变化中维持平衡。

五行指的是木、火、土、金、水,"行"就是行动变化的意思。古人认为世界上万物的生长都是由这几种不同的物质互相作用而生成的。五行之间相生相克:木生火、火生土、土生金、金生水、水生木;木克土、土克水、水克火、火克金、金克木。五行之间相生相克,永无止境,从而使宇宙无穷存在。

查字典:

1. 解释

2. 引申

3. 维持

4. 平衡

5. 生成

6. 相生相克

7. 永无止境

8. 无穷

进一步解释一下:

1. 木生火: 木头可以燃烧,就产生了火。

2. 火生土: _____

3. 土生金: _____

4. 金生水: _____

5. 水生木: _____

6. 木克土: _____

7. 土克水: _____

8. 水克火: _____

9. 火克金: _____

10. 金克木: _____

5 作文

现代人生活节奏很快,吃快餐的人越来越多了,但身体状况也随之发生了变化。写一篇文章发表你的看法,内容必须包括:

- 快餐有什么特点
- 快餐对健康有什么影响
- 怎样才能吃得健康

中 医

中医认为如果人体内阴阳失去了平衡就会患病。中医治病不是头痛医头，脚痛医脚，而是注重调理病人整体的阴阳平衡。中药、针灸、推拿、气功等治疗方法都讲求整体的疗效。

中医看病主要有四个步骤：望、闻、问、切。"望"是看病人的气色；"闻"是听病人的声音；"问"是问病人的病情；"切"是按病人的脉搏。这四个步骤完成后，中医师才会对病症作出综合的判断，最后开出药方。

中药主要来源于植物、动物和矿物，其中植物药就是平时常说的中草药，用得最广泛。每种中药都有其特性和作用，用中药的目的是达到人体内阴阳的平衡。服用中药对人体的副作用比较小。

查字典：

1. 注重
2. 调理
3. 整体
4. 针灸
5. 推拿
6. 气功
7. 步骤
8. 气色
9. 病情
10. 脉搏
11. 病症
12. 特性
13. 副作用

回答下列问题：

1. 你看过中医吗？如果看过，请讲一下你看中医的经历。

2. 你吃过中药吗？如果吃过，味道如何？

3. 你认为中医能治病吗？中医能治什么样的病？（上网查资料）

4. 中、西医结合医治疾病是不是个好主意？现在有哪些疾病是用中、西医结合的办法来医治的？

读一读：

清热解毒颗粒（冲剂）	胃舒片
主要成份：板蓝根 功能与主治：清热解毒。用于咽喉肿痛、防治传染病、肝炎等。 用法与用量：口服，一日四次，每次一包，用开水冲饮，饭后一小时饮用。	主要成份：太子参、山药 功能与主治：健胃消食。主治消化不良、腹胀、食欲不振等。 用法与用量：口服，咬碎后吞下。一日四次，每次一片。

7 阅读理解

长寿之道 "八少八多"

1. 少肉多菜：饮食以清淡为宜，多吃蔬菜、水果，少吃鸡、鸭、鱼、肉。

2. 少食多餐：老年人的脾胃功能一般会逐年衰退，容易消化不良，所以要少吃多餐。

3. 少盐多醋：多吃盐会伤肾，而醋能补肝，又助消化，所以多吃醋对老年人的身体有好处。

4. 少衣多容：衣服要穿得宽松些，只求穿得舒适。同时要注意一个人的精神面貌。中国人有句古话说："坐如钟，站如松，行如风，卧如弓。"

5. 少烦多眠：对于不称心的事要想得开，不要过于烦恼，还要多休息，保证有足够的睡眠时间。

6. 少欲多施：不要过于贪图身外之物，相反，要乐于助人，尽量多做好事，这样会得到精神上的愉快。

7. 少硬多稀：少吃硬的食物，多吃稀的食物。硬的东西不易消化，而稀的东西容易咀嚼，也易消化。

8. 少车多步：尽量少坐车，多走路。古人说："饭后百步走，活到九十九。"

查字典：

1. 宜
2. 脾
3. 胃
4. 逐年
5. 衰退
6. 消化
7. 肾
8. 肝
9. 宽松
10. 舒适
11. 面貌
12. 称心
13. 贪图
14. 稀
15. 咀嚼

根据上文作出判断：

	习 惯	符合	不符合
1	每天吃完晚饭后先散步半个小时，然后看一个小时的电视，十点上床睡觉。		
2	每天吃两种蔬菜、两种水果；每星期吃一次鱼、一次肉。		
3	每星期吃一个咸蛋、一个皮蛋，每天吃200克火腿肉。		
4	忙的时候每天只睡四个小时，不忙的时候一晚可以睡十二个小时。		
5	天天想着赚钱，希望有一天能中奖，这样可以一辈子不用工作。		
6	天天躺在沙发上看电视，一看就是好几个小时，懒得运动。		
7	每天喝三罐可乐，吃一餐快餐。		
8	嘴里总觉得没有味道，每餐都吃辣的和咸的食物。		

8 词汇扩展

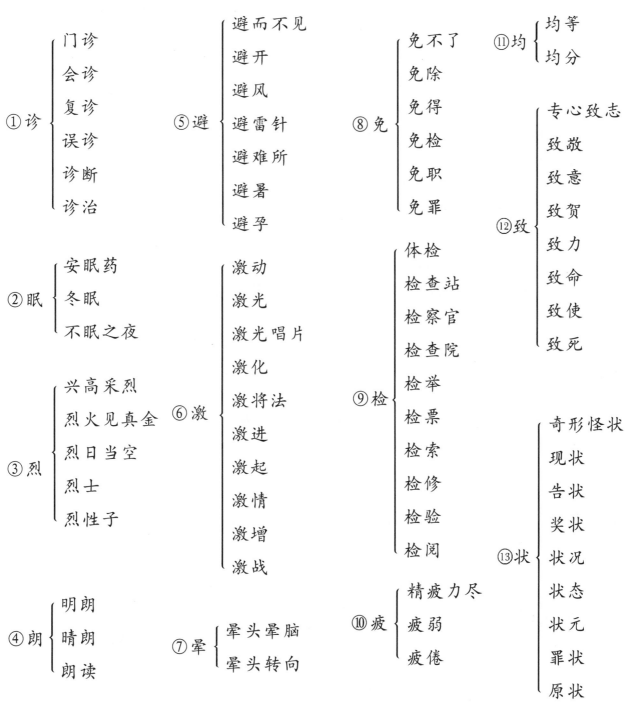

①诊 { 门诊 / 会诊 / 复诊 / 误诊 / 诊断 / 诊治

②眠 { 安眠药 / 冬眠 / 不眠之夜

③烈 { 兴高采烈 / 烈火见真金 / 烈日当空 / 烈士 / 烈性子

④朗 { 明朗 / 晴朗 / 朗读

⑤避 { 避而不见 / 避开 / 避风 / 避雷针 / 避难所 / 避暑 / 避孕

⑥激 { 激动 / 激光 / 激光唱片 / 激化 / 激将法 / 激进 / 激起 / 激情 / 激增 / 激战

⑦晕 { 晕头晕脑 / 晕头转向

⑧免 { 免不了 / 免除 / 免得 / 免检 / 免职 / 免罪

⑨检 { 体检 / 检查站 / 检察官 / 检查院 / 检举 / 检票 / 检索 / 检修 / 检验 / 检阅

⑩疲 { 精疲力尽 / 疲弱 / 疲倦

⑪均 { 均等 / 均分

⑫致 { 专心致志 / 致敬 / 致意 / 致贺 / 致力 / 致命 / 致使 / 致死

⑬状 { 奇形怪状 / 现状 / 告状 / 奖状 / 状况 / 状态 / 状元 / 罪状 / 原状

9 翻译

多么
这么
那么
怎么

1. 不管他下班后多么疲劳，他总是先去健身房做半个小时的运动。
2. 没想到每年一次的体检对及早发现疾病那么重要。
3. 以前不知道这种中药治疗感冒这么有效。
4. 你已经结婚了！你怎么不早点儿告诉我？
5. 不管天气多么冷，他每天早上一定要去游泳。
6. 这么小的孩子，怎么那么能说会道？

10 阅读理解

太极拳

太极拳运用了古代阴阳学说和中医理论，是一种富有哲学色彩的拳术，是一种形式独特的体育锻炼，也可以说是一套医疗体操。

太极拳创始于清朝初期，在其流传过程中出现了许多流派，其中杨式太极拳最为流行。打太极拳要求松静自然，动作柔和缓慢、保持弧形、连贯及协调。人称太极拳为健身佳术，是因为它有以下健身养生功效：

第一，调节神经系统：练太极拳要求做到心平气和，速度均匀且有规律，还要求思想高度集中。

第二，调节循环及呼吸系统：练太极拳要求全身肌肉放松，有节奏地呼吸，使体中气血流畅。

第三，调节消化系统：有节奏的呼吸对肠胃起到刺激作用，改善消化道的血液循环，因此提高消化及吸收功能。

第四，调节运动系统：练太极拳要求全身肌肉参加运动，使骨骼得到锻炼，并对关节活动有积极的作用。

查字典：

1. 理论
2. 体操
3. 流派
4. 柔和
5. 缓慢
6. 弧形
7. 连贯
8. 协调
9. 功效
10. 神经
11. 系统
12. 心平气和
13. 均匀
14. 循环
15. 肌肉
16. 流畅
17. 肠胃
18. 骨骼
19. 关节

作文：

上网或者找其他资料介绍瑜伽或武术。

11 找反义词

1. 非法 _____
2. 科学 _____
3. 公开 _____
4. 平衡 _____
5. 危害 _____
6. 相信 _____
7. 雄厚 _____
8. 自费 _____
9. 出众 _____
10. 仔细 _____
11. 专业 _____
12. 中央 _____
13. 直接 _____
14. 伤害 _____
15. 天灾 _____
16. 积极 _____

私下	造福	马虎
业余	迷信	人祸
公费	爱护	薄弱
寻常	间接	合法
怀疑	失衡	地方
消极		

12 配图

急救箱：

1. 温度表
2. 消毒棉花球
3. 消毒棉花棒
4. 消毒药膏
5. 口罩
6. 绷带
7. 止痛药
8. 剪刀
9. 消毒药布
10. 胶布
11. 手套

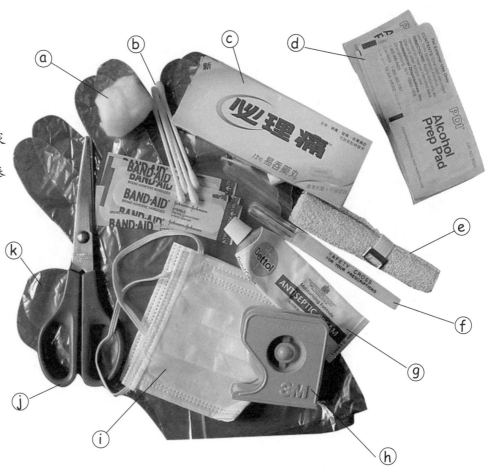

13 根据你自己的情况回答下列问题

1. "垃圾食品" 主要指哪些食品？你是否经常吃这些食品？吃哪些？

2. 你知道 "绿色食品" 或 "有机食品" 是怎样生产、加工的吗？

3. 现在常见的 "绿色食品" 有哪些？

4. 你家经常买 "绿色食品" 吗？买哪些？价格怎么样？吃起来有什么特别？

5. 你居住的城市或地区，哪些店里可以买到 "绿色食品"？

14 用所给词语填空

动量词：	
趟 次 遍 回 顿 场	1. 我前不久去了一_____西藏。 2. 请大家先把文章读一_____，然后再回答问题。 3. 昨晚下了一_____暴雨，好几个地区发大水。 4. 爷爷有心脏病，已经动过两_____手术了。 5. 这个关于预防糖尿病的电视讲座，我已经看过一_____了。 6. 他因为跟其他同学打架，回家被爸爸骂了一_____。

15 翻译

1. 水果

　　水果是一种健康食品，可以代替打针吃药。糖尿病人每天吃定量的梨、樱桃和杨梅能降低血糖，使病情好转。冠心病人吃柑橘、柚、桃子、杏、草莓，可以降低血脂和胆固醇。肝炎病人多吃梨、香蕉、苹果、西瓜，可以保护肝脏，促进肝细胞再生。

2. 南瓜

　　南瓜含有丰富的胡萝卜素、蛋白质、维生素B、维生素C和钙、磷、铁等。吃南瓜能有效地增强肝、肾功能，对治疗肝炎、肝硬化和肾病有良好的疗效。

3. 红薯

　　红薯中含有胡萝卜素、维生素C以及多种氨基酸。由于红薯中纤维比较多，可以防治便秘，预防心血管疾病。

4. 葱

　　葱里含蛋白质、脂肪、糖和维生素，有灭菌的作用。经常吃葱的人，胆固醇不易升高。葱还能消灭口中的病菌，治疗慢性鼻炎。

词语解释：

1. 定量 fixed quantity
2. 樱桃 cherry
3. 杨梅 red bayberry
4. 冠心病 coronary heart disease
5. 柑橘 tangerines
6. 柚 pomelo
7. 杏 apricot
8. 血脂 blood fat
9. 胆固醇 cholesterol
10. 肝炎 hepatitis
11. 肝脏 liver
12. 细胞 cell
13. 钙 calcium
14. 磷 phosphorus
15. 肝硬化 cirrhosis (of the liver)
16. 疗效 curative effect
17. 红薯 sweet potato
18. 氨基酸 amino acid
19. 便秘 constipation
20. 心血管 heart and blood vessels
21. 病菌 bacterium; germ
22. 慢性 chronic
23. 鼻炎 rhinitis

16 作文

写一篇文章给低年级的学生，告诉他们应如何保护牙齿，内容必须包括：

- 对牙齿不好的食物有哪些（蛋糕、冰淇淋、糖果、巧克力等）
- 说服他们不要吃这些食物
- 保持牙齿清洁的做法有哪些
- 可以通过哪些活动使他们懂得保护牙齿的重要性

17 偏旁部首与汉字

偏旁	读法	意义	写出以下字的意思			
疒	病字旁	多与疾病有关	痛 疗	疼 瘦	癌	症
广	广字头	多与房屋有关	店	床	库	庭
尸	尸字部	多与人体有关	居	尿	尾	属
攵	反文旁	多与动作有关	收 教	放 散	改 敬	救 数
欠	欠字部	多与口及神情心意表达有关	欣 歉	饮 欺	歌	欢

18 翻译

1. 近期天气特别反常，忽冷忽热，很多人得了感冒，求医问诊的人比往常多了三成。
2. 大病一场后，我才真正体会到生命的宝贵。
3. 这所学校不仅重视知识教育，同时还创造机会培养青少年热爱劳动和多做善事的好品德。
4. 预防心脏病最起码的是应该做到饮食均衡及坚持适当的体育锻炼。
5. 要在短时间内改善她目前的健康状况，在我看来可能性不大。
6. 我们应该把注意力放在怎样提高服务质量上，而不是用降价的办法来提高竞争力。
7. 他谈的东西太深奥了，听得我摸不着头脑。
8. 他冒名顶替为别人参加英语托福考试，考官发现后，立即报了警。
9. 由于睡眠不足，工作又辛苦，他突然觉得头晕眼花，然后就不醒人事了。
10. 饭后应避免激烈的体育运动。

19 配对

1. 猪八戒倒打一耙
2. 死猪不怕开水烫
3. 猪八戒照镜子，里外不是人

a. 比喻十分顽固。
b. 比喻反咬一口。
c. 比喻夹在中间受气，处境困难。

20 阅读理解

优惠健康检查计划

原价 ￥680.00　优惠价 ￥360.00

都市人由于学习工作紧张忙碌，往往会忽视健康的重要性。由于缺少运动、饮食过量、工作压力大，再加上环境污染等健康的无形杀手，容易引致高血压、中风、冠心病、糖尿病等现代都市病。

定期检查可以达到无病放心、有病早治的目的。由即日起至3月31日推出的优惠健康检查计划，为你的健康作一个常规的测试。所有化验项目均由一班资深医疗及专业人员根据国家标准对化验进行分析。化验报告书以中、英文形式于化验后一星期寄出。如有疑问可以通过热线电话21 2880 2880与化验师或医生了解化验结果详情。

如想参加这个计划，可以打电话到21 4551 7668或传真到21 4551 7444，也可以发电邮到 healthplan@shy.cn。

公共医疗保健有限公司

查字典：

1. 常规

2. 资深

3. 化验

4. 分析

5. 疑问

6. 热线

7. 详情

用中文解释下列词语：

1. 优惠
2. 无形杀手
3. 都市疾病
4. 定期检查
5. 忙碌
6. 常规
7. 资深
8. 热线

21 解释下列词语（注意带点的字）

① {和尚 / 一趟}

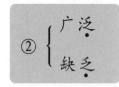
② {广泛 / 缺乏}

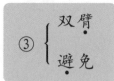
③ {双臂 / 避免}

④ {晚饭 / 免费}

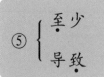
⑤ {至少 / 导致}

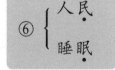
⑥ {人民 / 睡眠}

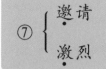
⑦ {邀请 / 激烈}

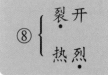
⑧ {裂开 / 热烈}

⑨ {披上 / 疲劳}

⑩ {参军 / 头晕}

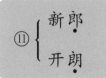
⑪ {新郎 / 开朗}

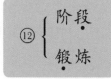
⑫ {阶段 / 锻炼}

22 读一读，写一写

流行性感冒

关于感冒：

感冒是由于呼吸系统受细菌感染而造成的。

感冒症状：

流鼻涕、咳嗽、发烧等。

会不会致命?

流行性感冒本身不是一种严重的疾病，但经常会引发其他的并发症。因为感冒期间人的身体抵抗力弱，所以比较容易感染到其他病毒。最常见的并发症是支气管炎和细菌性肺炎，另一些较少见的并发症有脑炎、病毒性肺炎和心肌炎等。

要注意些什么?

a) 不要运动，要在家好好休息。不要到人多的地方去，一是不要把病毒传给别人，二是避免在人多的地方传染到新的病毒。

b) 吃得清淡一些，多喝水，可以吃些水果，但是荤菜和海鲜不要吃得太多。

查字典：

1. 鼻涕
2. 引发
3. 并发症
4. 抵抗力
5. 支气管炎
6. 肺炎
7. 脑炎
8. 心肌炎

中风

关于中风：

中风是老年人的大敌，但近年来中风的年龄似乎趋于年轻化。

中风的症状：

a) 脸部、手脚突然失去知觉或发麻　　b) 突然无故头痛

c) 说话或思维出现问题　　　　　　　d) 视力突然出现问题

哪些人有中风的危险?

a) 患有高血压、糖尿病及高胆固醇的病人

b) 吸烟及肥胖者

c) 年龄越大，患中风的机会越高

d) 生活紧张、缺乏运动者

预防措施：

a) 少吃些高脂肪、高胆固醇食品

b) 戒除烟、酒

c) 定时、适量地做运动，保持理想体重

d) 定时检查身体，经常测量血糖、胆固醇、血压，有问题早医治

查字典：

1. 大敌
2. 似乎
3. 趋于
4. 无故
5. 测量

该你了！ 模仿上面两个例子讲一讲心脏病或高血压。

169

23 《西游记》连载(十二) 取回真经成仙

唐僧师徒经历了十四年的千辛万苦，终于到达了佛祖的住处灵山。如来佛命阿傩、伽叶拿出真经三十五部，共计一万五千一百四十四卷给唐僧。因为唐僧没有送礼物给阿傩和伽叶，他们有意刁难，给唐僧一大堆无字经书。走出灵山不久，白雄尊者从半空中伸出一只手，抢去经书包，并把包抖散，使得经书满天飞舞。这时唐僧才发现经书里一个字也没有。师徒四人只得回到灵山。这次如来佛给了唐僧真经，师徒四人拿到真经后高高兴兴地下了山，并由八大金刚护送去长安。观音打开灾难簿，发现唐僧经历了八十难。按照佛门九九归真之说法，他们还要再经历一难。唐僧师徒来到通天河边时，忽然见到一只乌龟从河底浮出水面，自愿驮他们师徒四人过河。快要到岸边，乌龟问唐僧："你有没有问如来佛我什么时候可以得人身？"唐僧老实回答说："对不起，我把这件事忘了。"乌龟大怒，身子一翻，师徒四人连同经书就一齐掉进了河里，河水把经书全部浸湿了。师徒四人忙把经书摊在路边晒干。他们再往东行时，八大金刚又赶来护送。唐僧师徒终于顺利地到了长安。唐太宗领着大臣们出宫迎接真经。这时八大金刚从天而降，带着唐僧师徒四人回到灵山，他们都成佛了。

从文中找出同义词：

1. 最后
2. 到了
3. 总共
4. 故意为难
5. 发觉
6. 陪同
7. 根据
8. 亲身体验
9. 如实
10. 非常生气

根据上文判断哪句话正确：

1. a) 唐僧师徒四人花了四十年的时间才到达灵山。
   b) 在去西天取经的路上唐僧经历了八十难。
   c) 佛祖就是如来佛，他住在灵山。
   d) 为了得到真经，唐僧送给如来佛一大堆礼物。

2. a) 如来佛第一次给唐僧的经书里没有字是想试探一下他对佛经的诚意。
   b) 如来佛根本就不知道唐僧第一次拿走的佛经里没字。
   c) 如来佛命令他手下人拿假真经给唐僧。
   d) 如来佛给了唐僧35卷真经。

3. a) 按照佛法，成佛前一定要经历八十一难。
   b) 唐僧师徒四人经历的最后一难是拿到假真经。
   c) 通天河里的乌龟嫉妒唐僧取到真经。
   d) 八大金刚一路护送使唐僧四人避免遭受八十一难。

4. a) 唐太宗领着大臣们出宫迎接唐僧。
   b) 唐僧及三徒弟没有顺利地过八十一关，因此他们没能成佛。
   c) 八大金刚完成了护送任务后又回到了花果山。
   d) 唐僧带回来的真经上的文字全被河水冲洗掉了。

阅读(十二) 李时珍

1 根据课文判断正误

☐ 1) 李时珍的父亲肯定是个医生。

☐ 2) 李时珍从小就对植物和动物感兴趣。

☐ 3) 李时珍对古人写的《本草》的准确性不满意。

☐ 4) 为了写《本草纲目》，李时珍走遍了世界各地收集各种资料。

☐ 5) 李时珍花了不到二十年的时间写完了《本草纲目》。

☐ 6)《本草纲目》先后被译成三种外文。

2 配图

1. 肾
2. 肝
3. 肺
4. 胃
5. 腰
6. 肩膀
7. 脖子
8. 胳膊
9. 膝盖
10. 屁股

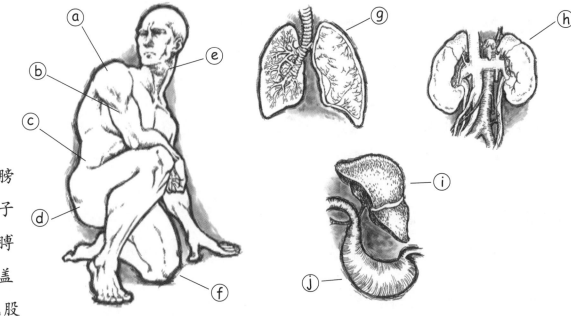

3 词汇扩展

① 版
- 版权
- 再版
- 排版
- 海外版
- 翻版
- 头版头条
- 版面设计

② 插
- 插花艺术
- 插话
- 插曲
- 插手
- 插足
- 插页

③ 据
- 收据
- 单据
- 数据
- 据悉
- 证据
- 占据

④ 余
- 业余爱好
- 多余
- 年年有余
- 学习之余
- 余数

4 配对

1. 万无一失
2. 万紫千红
3. 万象更新
4. 万不得已
5. 万事俱备，只欠东风
6. 万事开头难
7. 万事大吉

a. 实在没有办法，不得不如此。
b. 做任何事情，开头总是很难的。
c. 形容百花齐放，艳丽多彩的景象。
d. 形容一切事情都很圆满顺利。
e. 指绝对有把握，不会失误或出差错。
f. 指一切事物或景象都改换了样子，呈现出一派新气象。
g. 比喻一切都齐备，只差最后一个重要条件了。

5 做一张宣传页——旅游人士饮食须知

参考词语：

保证	彻底	食物	洗净	密封包装	肉类	鱼类	餐具
去皮	生冷	生果	蔬菜	罐装饮品	雪糕	沙拉	洗手
消毒	煮熟	煮沸	无证	鲜果汁	摊档		

6 根据常识回答以下问题

1. 去非洲或南美洲之前，需要注射哪些疫苗？如果你需长期服药，应该怎么办？
2. 随身带的紧急药箱里应该有哪些药物？
3. 如在郊区看到流浪的猫、狗或猴子，你应该怎样做？
4. 如果你突然感到发热、发冷、或突然出癍疹、腹泻或呕吐，怎么办？

7 解释下列词语（注意带点的词）

① { 前途 / 多余 }
② { 戏剧 / 根据 }
③ { 广播 / 插图 }
④ { 刚才 / 纲目 }
⑤ { 板球 / 出版 }
⑥ { 天鹅 / 俄文 }
⑦ { 幸福 / 篇幅 }
⑧ { 尸骨 / 糖尿病 }

1 解释下列词语

1 名词

污染	工业化	速度	大自然	生态	平衡	噪音	废水	机动车辆
伞	臭氧层	化肥	农药	条件	技术	商业	数量	温室效应
能源	容量	灾害	责任	措施	家园	战争	洞	建筑工地
苦难	火炉	冰块	狂风	冰雹	将来	生命	俄	交通工具
领域	产业	规模	活力	功能	智能	型	文体	水土流失
基因	图谱	医疗	保健	农业	疾病	癌症	积	白血病
核能	太阳能	地热	资源	能量	素质	空间	爱滋病	糖尿病
奥秘	巨人	臂	黑暗	身	胡	星辰	成果	百科全书
玉石	宝藏	汗水	露	血液	肥胖	高血压	牙齿	严寒
起居	规律	睡眠	雨	竞争	注疗	症状	心脏病	暴雨
精神	善事	药物学	失世代	标本	插图	药性	状态	骨头
酷暑	省份	野兽	药方	矿石		拉丁文	家乡	

2 动词

创造	破坏	关注	面临	保护	浪费	回收	丢弃	失去	出版	绝种
采取	碰撞	成医	寻找	炼	代替	夹杂	进入	开发	探索	突破
具有	在望	医治	预计	取得	增长	重视	孕育	醒	挥动	破裂
散发	下降	担心	顶住	踏	临死	求	问诊	体会	作为	缺乏
减少	避免	导致	锻炼	在于	改善	热爱	预防	采集	请教	根据
收集										

3 形容词

惊人	以往	宁静	有效	共同	超薄	疑难	高效	清洁	充分
普遍	恼怒	真正	均衡	充足	激烈	疲劳	头晕	开朗	乐观
定期	适当	准确	清楚	当地	余				

4 副词

一方面　濒临　频频　顿时　不久　更加　总之

5 连词

以至　否则

6 短语

日新月异　千难万险　乱砍滥伐

2 找反义词

1. 统一 ＿＿＿
2. 浪费 ＿＿＿
3. 战争 ＿＿＿
4. 充分 ＿＿＿
5. 黑暗 ＿＿＿
6. 散发 ＿＿＿
7. 下降 ＿＿＿
8. 共同 ＿＿＿
9. 失去 ＿＿＿
10. 缺乏 ＿＿＿

充足	单独	分裂
获得	上升	光明
和平	节约	收集
不足		

3 配对(动宾搭配)

1. 破坏
2. 创造
3. 回收
4. 开发
5. 取得
6. 担心
7. 导致
8. 改善
9. 预防
10. 收集

a. 旧报纸、杂志
b. 更好的成绩
c. 一场灾难
d. 公共财物
e. 传染病
f. 新产品
g. 交通设施
h. 世界纪录
i. 古玩字画
j. 考试不及格

4 配对(词语解释)

1. 速记
2. 绝路
3. 灾难
4. 探险
5. 滋补
6. 充足
7. 醒目
8. 避暑
9. 担架
10. 收据

a. 天灾人祸所造成的严重损害和痛苦
b. 多到能够满足需要
c. 天气炎热的时候到凉爽的地方去
d. 用一种简便的记音符号迅速地把话记录下来
e. 收到钱或东西后写给对方的字据
f. 走不通的路；死路
g. 供给身体需要的养分
h. 医院或军队中抬送病人、伤员的用具
i. 到从来没有人去过或很少有人去过的地方去考察
j. (文字、图画等)形象明显，容易看清

5 翻译

1. 电视预告说，今晚九点第四频道放一部法语电影。
2. 他是一位尽职尽责的好校长。
3. 弟弟这个学期不专心读书，期末考试好几门课不及格，昨晚被爸爸骂了一顿。
4. 他这孩子没有家教，非常没礼貌，在班上经常顶撞老师。
5. 中国的长江流域农业发达，物产丰富。
6. 他在网上连续玩了一天一夜，最后玩到头晕眼花，一倒头便睡着了。
7. 他上课时经常思想开小差，注意力不集中。

8. 爸爸翻译的那部长篇小说即将出版了。

9. 新的教学大纲里提供了汉语中学会考的试卷形式及口试参考问题。

10. 他最爱吃意大利薄饼，总是吃不够。

6 根据你自己的情况回答下列问题

1. 你周围的污染情况严重吗？有什么污染？

2. 你有没有回收物品的习惯？你平时注意回收哪些物品？

3. 为了保护生态环境，你采取过什么措施？

4. 如果有一天地球上人太多了，你会选择去哪儿居住？想像一下那里的生活环境会是怎样的？

5. 你觉得人类应该怎样充分利用太阳能？

6. 你希望机器人将来可能为人类做什么？

7. 到目前为止，你生过大病吗？生过什么病？有没有开刀？住院几天？

8. 你的生活起居有规律吗？对你身体有什么影响？

9. 你经常锻炼身体吗？你一般做什么运动？一星期做几次？

10. 你的饮食习惯怎样？对你的身体有什么影响？

7 阅读理解

快乐是健康的良方

中国有句俗语"笑一笑，十年少；愁一愁，白了头"，意思是说精神愉快，心情开朗，人就会满面春光，青春常在；反之，则疾病缠身，夭折①短寿。试想，一个生活充实②、快乐的人心理一定是健康的，而心理健康则保证了生理健康，从而达到人体的健康。

现代医学研究发现，一些不良情绪，如恐惧、悲伤③、嫉妒、贪心、生气、紧张等容易导致一些不治之症。这些不良情绪阻碍④人体的正常运作，使人吃不好，睡不着，身体的免疫功能下降，从而使疾病乘虚而入。

想保持身心健康，不妨试试以下的方法：第一，少怀私心，多做善事；第二，对周围的一切保持积极的态度，不抱怨，少烦恼；第三，热爱自己的学习或工作；第四，常运动，忘掉不愉快的事情，心胸⑤开朗些；第五，广交朋友，有不愉快的事不要闷在心里，说出来就痛快了；第六，培养多种兴趣，缓解⑥紧张情绪。总之，健康在你手中，保持快乐的心情是治愈疾病的良药。

根据上文选择正确答案：

1. 人体的健康与_____有密切的关系。

   a) 疾病的折磨

   b) 心情的好坏

   c) 不良行为

   d) 吃药多少

2. 想要保持身体健康，你应该_____。

   a) 经常看恐怖电影

   b) 看到事物的黑暗面

   c) 经常跟别人相比

   d) 保持精神愉快

配对（词语解释）：

1. 夭折	a. 伤心难过
2. 充实	b. 使不能顺利或发展
3. 悲伤	c. 未成年而死
4. 阻碍	d. 缓和，解除
5. 心胸	e. 丰富；充足
6. 缓解	f. 气量；志气

判断正误：

☐ 1) 笑口常开的人一般身体健康。

☐ 2) 愁眉苦脸的人一般容易生病。

☐ 3) 心理健康是生理健康的前提。

☐ 4) 人的情绪不影响睡眠。

☐ 5) 睡眠不足能增强身体的免疫力。

☐ 6) 积极、开朗的生活态度使人长寿。

8 写作

社会发展了，污染也严重了，各种疾病也随之而产生了。2003年3月突然爆发的沙士（SARS，非典型肺炎）又一次给人类敲响了警钟。用至少250个字写一篇文章谈谈人类应该怎样避免突如其来的灾难，内容必须包括：

   －人类应该怎样保护大自然和生态平衡（空气、水等自然资源）

   －人类是否应该吃野味

   －个人应该怎样保持均衡的饮食，注意个人和环境卫生

   －政府应该制定什么法律来保护人类生存环境

A

a	啊	particle used at the end of a sentence as a sign of confirmation
ái	癌	cancer
áizhèng	癌症	cancer
àiqíng	爱情	love (between man and woman)
àizībìng	爱滋病	Aids
àn	暗	dark; secret
ào	傲	proud; arrogant
ào	奥	profound
àolínpǐkè	奥林匹克	Olympic
àomì	奥秘	profound mystery
àosīkǎ	奥斯卡	Oscar

B

bālěiwǔ	芭蕾舞	ballet
báixuèbìng	白血病	leukaemia
bǎicǎo	《百草》	Chinese Materia Medica
bǎikē quánshū	百科全书	encyclopaedia
bǎixìng	百姓	civilians
bǎi	摆	put; place; lay
bài	拜	visit
bàinián	拜年	send New Year greetings
bàituō	拜托	ask a favour of; request
bài	败	lose; fail
bǎn	板	board; plate
bǎnqiú	板球	cricket
bǎn	版	edition
bàn niánhuò	办年货	make New Year purchases
bànyè	半夜	midnight
bǎng	膀	shoulder; arm
báo	雹	hail
báo	薄	thin; weak
bǎohù	保护	protect
bǎohùsǎn	保护伞	shield

bǎojiàn	保健	health care
bǎoliú	保留	retain; reserve
bǎozàng	宝藏	treasure
bào	爆	explode
bàofā	爆发	erupt; break out
bào	暴	cruel
bàojūn	暴君	tyrant
bàolì	暴力	violence; force
bàoyǔ	暴雨	rainstorm
bào	抱	hold in the arms; hug; cherish
bàoqiàn	抱歉	be sorry; regret
bàoyuàn	抱怨	complain
bàodào	报道	report
bēi	卑	humble
běidàihé	北戴河	Beidaihe
bèijǐng	背景	background
bèipò	被迫	be forced
bèi	倍	doubles; times
bèi	辈	generation
běncǎo gāngmù	《本草纲目》	Compendium of Materia Medica
běnxìng	本性	innate nature
bì	避	avoid; prevent
bìmiǎn	避免	avoid
bì	毕	finish; complete
bìyè	毕业	graduate
bì	臂	arm
biān	编	compile
biānpái	编排	write (a play, etc.) and rehearse
biànyú	便于	be convenient for
biāo	标	mark; standard
biāoběn	标本	specimen; sample
biāozhǔn	标准	standard
biétí	别提	you can well imagine
bīn	濒	on the brink of
bīnlín	濒临	on the verge of
bīngbáo	冰雹	hail
bīngkuàir	冰块儿	ice cube
bìnggù	病故	die of illness

bìngshì	病逝	die of illness
bō	播	spread; broadcast
búlùn	不论	regardless of
búxìng	不幸	unfortunate
bùdīng	布丁	pudding
bùjiǔ	不久	before long
bùliáng	不良	bad; harmful
bùqiǎo	不巧	unfortunately
bùxǔ	不许	not allow; must not

C

cái	财	wealth; money
cáijīng	财经	finance and economy
cáimào chūzhòng	才貌出众	of remarkable talent and good looks
cǎi	采	adopt; pick
cǎijí	采集	gather; collect
cǎiqǔ	采取	adopt; take
cānyù	参与	participate
céng	曾	once
céngjīng	曾经	once
chā	插	insert
chātú	插图	illustration
chá'ěrsī wángzǐ	查尔斯王子	Prince Charles
chǎnshēng	产生	cause
chǎnyè	产业	estate; industrial
cháng'ān	长安	China's ancient capital city
chāobáo	超薄	ultra-thin
chēhuò	车祸	traffic accident
chēliàng	车辆	vehicle
chén	辰	celestial bodies
chéng	承	continue
chéng	惩	punish
chéngfá	惩罚	punish
chéngguǒ	成果	achievement
chéngjì	成绩	achievement
chéngjiù	成就	achievement

chénglì	成立	establish
chéngqiān shàngwàn	成千上万	tens of thousands
chéngshú	成熟	mature
chéngzāi	成灾	cause disaster
chí	迟	slow; late
chídào	迟到	late to arrive
chí	持	hold; grasp; support
chǐ	齿	tooth
chì	翅	wing
chìbǎng	翅膀	wing
chōng	充	sufficient
chōngfèn	充分	sufficient
chōngzú	充足	sufficient
chōngdòng	冲动	impulse
chóngyángjié	重阳节	Double Ninth Festival (9th day of the 9th lunar month)
chōu	抽	draw
chōuyān	抽烟	smoke
chóu	筹	raise
chóukuǎn	筹款	raise money
chòu	臭	smelly; foul
chòuyǎng	臭氧	ozone
chòuyǎngcéng	臭氧层	ozone layer
chūbǎn	出版	publish
chūxiàn	出现	appear; emerge
chú	橱	cabinet; closet
chúchuāng	橱窗	show window
chúxī	除夕	New Year's Eve
chǔ	础	plinth
chǔlǐ	处理	handle; deal with
chǔshì	处事	conduct oneself in society
chù	触	touch; contact
chuānyuè	穿越	pass through
chuánshuō	传说	pass from mouth to mouth
chuántǒng	传统	tradition
chuàng	创	create
chuànglì	创立	found
chuàngshǐrén	创始人	founder

chuàngzào	创造	create
chūnlián	春联	Spring Festival couplets
chūnqiū	春秋	the Spring and Autumn Period (722-481 B.C.)
cí	慈	kind; loving
císhàn	慈善	charitable
cíxǐ	慈禧	Empress Dowager Cixi (1835-1908)
cóngshì	从事	be engaged in
cū	粗	wide; rough; rude
cūhuà	粗话	vulgar language
cuò	措	arrange; make plans
cuòshī	措施	measure
cuòwù	错误	mistake; wrong

D

dā	搭	put up; travel by transport
dá'ěrwén	达尔文	Charles Robert Darwin (1809-1880)
dǎkāi	打开	open; unfold
dǎting	打听	inquire about
dàdào	大道	main road
dà hóng dēnglong gāo gāo guà	《大红灯笼高高挂》 Raise the Red Lantern
dàsǎochú	大扫除	general cleaning
dàtáng xīyù jì	《大唐西域记》 Records on the Western Regions of the Great Tang Empire
dàzìrán	大自然	Mother Nature
dāi	呆	stay; dumb
dài	待	wait for; about to
dàitì	代替	replace
dài'ānnà	戴安娜	Princess Diana
dān	担	take on; shoulder
dānxīn	担心	worry; fear
dàn	诞	birth
dāngdì	当地	local
dāngjīn	当今	now; at present
dāngshí	当时	then; at that time

dāngxuǎn	当选	be elected
dǎng	党	political party
dǎngrén	党人	member of a political party
dǎoméi	倒霉	have bad luck
dǎoyǎn	导演	director
dǎozhì	导致	lead to; result in
dàochù	到处	everywhere
dàolái	到来	arrival
dàodéjīng	《道德经》	Classic of the Way and Virtue
dàojiā	道家	Taoists
dàojiào	道教	Taoism
dàolù	道路	road; way; passage
dàoshǔ	倒数	count in reverse order; New Year countdown
dézhī	得知	learn; get to know
dēng	登	climb; publish
dēnggāo	登高	climb up
dēnggāo wàngyuǎn	登高望远	ascend a height to enjoy a distant view
dēnglong	灯笼	lantern
dìrè	地热	geotherm
dì'èr cì shìjiè dàzhàn	第二次世界大战 World War II (1939-1945)
diànzǐ yóujiàn	电(子)邮(件)	e-mail
dǐng	顶	top; push up
dǐngzhù	顶住	withstand
dìngqī	定期	regular; periodical
diū	丢	lose; throw; put aside
diūqì	丢弃	abandon; discard
dōnghàn	东汉	Eastern Han Dynasty (25-220)
dōngsānshěng	东三省	Three Northeast Provinces
dòng	洞	hole; cave
dòngyòng	动用	employ; use
dòngzuòpiàn	动作片	action movie
dú	毒	poison; drugs
dù	妒	envy; jealous of
dùjí	妒嫉	jealous of
dùliànghéng	度量衡	weights and measures

duàn	锻 forge
duànliàn	锻炼 do exercise
duìdài	对待 treat; handle
dùn	顿 pause; suddenly
dùnshí	顿时 instantly
duōme	多么 how; what
duò	惰 lazy; idle

E

é	俄 Russian Empire
éwén	俄文 Russian
é	鹅 goose
ēn	恩 kindness

F

fādá	发达 developed; flourishing
fādòng	发动 start
fāhuī	发挥 bring into play; develop; expand
fāshēng	发生 happen; occur
fāyuándì	发源地 place of origin
fāzhǎn	发展 develop; expand
fá	乏 lack; tired
fá	伐 cut down
fá	罚 punish; fine
fān	翻 turn (over; up; upside down; inside out)
fānyì	翻译 translate; interpret
fánnǎo	烦恼 worried; upset
fǎn	返 return
fǎnhuí	返回 return
fàn	泛 emerge; extensive
fàn	范 a surname; example
fàn xǐliáng	范喜良 Fan Xiliang
fàn	犯 violate; commit
fànzuì	犯罪 commit a crime or an offence
fāngmiàn	方面 aspect

fāngshì	方式 way; pattern
fáng	防 prevent; defend
fàngniú	放牛 herd cattle
fàngqì	放弃 abandon; give up
fēi	妃 wife of a prince
féi	肥 fat; fertilizer
féipàngzhèng	肥胖症 obesity
fèi	废 abolish; waste
fèishuǐ	废水 waste water
fēn	氛 atmosphere
fēnpèi	分配 assign; allocate
fén	坟 grave; tomb
fénmù	坟墓 grave; tomb
fèndòu	奋斗 fight; struggle
fēngjiàn	封建 feudal; feudalism
fēngsú	风俗 custom
fójiào	佛教 Buddhism
fóxué	佛学 Buddhist learning
fǒuzé	否则 otherwise
fūqī	夫妻 husband and wife
fú	幅 measure word
fú	福 good fortune; luck; happiness
fǔbài	腐败 corrupt
fù	负 shoulder; bear; owe; negative
fùhuójié	复活节 Easter
fùqīnjié	父亲节 Father's Day
fùyǒu	富有 rich in; full of

G

gǎidiào	改掉 give up; discard
gǎishàn	改善 improve
gǎizào	改造 transform; reform
gàiniàn	概念 concept
gǎn'ēnjié	感恩节 Thanksgiving Day (fourth Thursday in November in the United States or second Monday in October in Canada)

gǎnjué	感觉	feeling
gǎnqíng	感情	emotion; feeling
gǎnshàng	赶上	catch up with; encounter
gāng	纲	outline
gāngmù	纲目	outline
gāodù	高度	highly; height
gāosēng	高僧	eminent monk
gāoxiào	高效	highly effective
gāoxuèyā	高血压	hypertension
gǎo	搞	do; make; set up
gàozhōng	告终	come to an end
gé	革	change; leather
gémìng	革命	revolution
gèzì	各自	each; respective; individual
gēnjù	根据	according to
gēngtì	更替	alternate; interchange
gèngjiā	更加	even more
gōng	恭	respectful; courteous
gōngxǐ fācái	恭喜发财	May you be prosperous!
gōngjù	工具	tool; means
gōngyè	工业	industry
gōngzhòng	公众	the public
gòng	贡	tribute
gòngxiàn	贡献	contribute
gòngtóng	共同	common
gòngxiǎng	共享	share
gōu	沟	ditch; channel
gōutōng	沟通	connect
gòu	构	construct
gū	孤	orphaned; lone
gū'ér	孤儿	orphan
gǔ	骨	bone; skeleton
gǔtou	骨头	bone
gùshìpiàn	故事片	feature film
guāndiǎn	观点	viewpoint
guānhuái	关怀	show loving care for
guānyú	关于	about; with regard to
guānzhù	关注	pay close attention to
guānzhòng	观众	audience

guǎnjiào	管教	discipline
guàn	冠	first place; champion
guànjūn	冠军	champion; first-prize winner
guǎngbō	广播	broadcast
guǎngdōngshěng	广东省	Guangdong Province
guǎngfàn	广泛	extensive
guǎngzhōu	广州	Guangzhou
guī	规	rule; regulation
guīlù	规律	law; regular pattern
guīmó	规模	scale; scope
guóqìngjié	国庆节	National Day

H

háití	孩提	early childhood
hài	害	harm; damage
hàixiū	害羞	shy
hài	亥	last of the 12 Earthly Branches
hǎn	喊	shout; cry out; call
hàn	憾	regret
hànshuǐ	汗水	sweat
háo	豪	rich and powerful
háohuá	豪华	luxurious
hǎojǐng bùcháng	好景不长	good times don't last long
hǎoláiwū	好莱坞	Hollywood
hé	核	nucleus
hénéng	核能	nuclear energy
hèniánkǎ	贺年卡	New Year card
hēi'àn	黑暗	darkness; dark; evil
héng	衡	weigh; measure
hóng gāoliáng	《红高粱》	Red Sorghum
hòu	厚	thick; deep
hòuhuǐ	后悔	regret
hū	忽	suddenly
hūrán	忽然	suddenly
hú	湖	lake
húdié	蝴蝶	butterfly
húxū	胡须	beard and moustache

hù	互 mutual	jí	疾 disease
hùxiāng	互相 each other	jíbìng	疾病 disease
hùliánwǎng	互联网 internet	jí	吉 lucky
huàféi	化肥 chemical fertilizer	jílì	吉利 lucky; fortunate
huàjù	话剧 stage play	jíqí	极其 extremely
huàzhǎn	画展 art exhibition	jíshí	及时 timely; in time
huái	怀 chest; mind; think of	jízhōng	集中 concentrate; centralize
huānhū	欢呼 hail; cheer	jǐyǔ	给予 give
huàn	幻 imaginary	jì	绩 achievement
huángtàihòu	皇太后 empress dowager	jìshù	技术 technology
huī	挥 wave; shake; wipe off; command	jìchéng	继承 inherit
huīdòng	挥动 wave; shake	jìlù	记录 record
huíshōu	回收 recycle	jìniàn	纪念 commemorate
huǐ	悔 regret	jiā	夹 mix; clip
huì	诲 teach	jiāzá	夹杂 be mixed up with
huìrén bújuàn	诲人不倦 be tireless in teaching	jiā	佳 excellent
hūnyīn	婚姻 marriage	jiātíng jiàoshī	家庭教师 private teacher
huólì	活力 vigour; vitality	jiāxiāng	家乡 hometown
huómái	活埋 bury alive	jiāyuán	家园 home
huózhe	《活着》 To Live	jià	驾 drive
huǒjī	火鸡 turkey	jiàshǐ	驾驶 drive; pilot
huǒlú	火炉 stove	jiàshǐ zhízhào	驾驶执照 driving licence
huò	获 obtain; win	jià	嫁 (of a woman) marry
huòjiǎng	获奖 win a prize	jiàzhí	价值 value
		jiāoliú	交流 exchange
		jiāotōng gōngjù	交通工具 means of transport
		jiāowǎng	交往 associate; contact
		jiāo	骄 proud; arrogant

J

		jiāo'ào	骄傲 arrogant; pride
jī	基 base	jiāo'ào zìdà	骄傲自大 conceited and arrogant
jīchǔ	基础 foundation	jiǎoxià	脚下 under one's feet
jīyīn	基因 gene	jiàohǎo	叫好 applaud
jī	激 arouse; fierce	jiàoshòu	教授 professor
jīliè	激烈 intense; fierce	jiān	监 supervise; prison
jīdòng	机动 motor-driven	jiānyù	监狱 prison
jīdòng chēliàng	机动车辆 motor vehicle	jiǎn	检 check up; examine
jīgòu	机构 organization	jiǎnchá	检查 check up; inspect; examine
jījí	积极 positive; active	jiǎnshǎo	减少 reduce; decrease
jí	即 immediately	jiànlì	建立 set up; establish
jí	嫉 jealous of		

182

jiànzào	建造	build; construct
jiànzhù	建筑	build; construct
jiànzhùwù	建筑物	building
jiànzhù gōngdì	建筑工地	construction site
jiāng	姜	a surname; ginger
jiāng	将	will
jiānglái	将来	future
jiǎng	奖	prize
jiàng	降	go down; fall; drop
jiē	阶	steps; rank
jiēduàn	阶段	stage; phase; period
jiēchù	接触	come into contact with
jiēshòu	接受	accept
jiēdào	街道	street
jié	洁	clean
jié	杰	outstanding
jiéchū	杰出	outstanding
jiéhé	结合	be united in marriage; combine
jiéshù	结束	wind up; close
jiézòu	节奏	rhythm
jǐn	紧	tight; firm; close; urgent
jìn	尽	exhausted; finished
jìndàishǐ	近代史	modern history (mid-1800's to 1919)
jìnjūn	进军	advance
jìnrù	进入	enter
jīngdiǎn	经典	classics; scriptures
jīngguò	经过	pass; after
jīnglì	经历	go through
jīngyàn	经验	experience
jīngshòu	经受	undergo
jīng	惊	be frightened; shock
jīngrén	惊人	amazing; surprising
jīngxǐ	惊喜	pleasantly surprised
jīngshén	精神	spirit
jìng	敬	respect
jìng	竟	used to indicate an expectedness or surprise
jìngrán	竟然	used to indicate an expectedness or surprise

jìng	竞	compete; contest
jìngsài	竞赛	competition; race
jìngzhēng	竞争	competition; compete
jiùyè	就业	find employment
jǔxíng	举行	hold; take place
jù	聚	gather
jù	据	according to; evidence
jù	俱	complete; all
jùlèbù	俱乐部	club
jùrén	巨人	giant
jùyǒu	具有	possess; have
juān	捐	donate; contribute
juàn	倦	tired
jué	绝	exhausted; extremely
juézhǒng	绝种	become extinct
juézhú	角逐	contest
juédìng	决定	decide
juéxīn	决心	determination; determine
jūn	君	monarch
jūn	均	equal; all
jūnhéng	均衡	balanced; even
jùn	俊	handsome

K

kāifā	开发	develop; open up
kāikuò	开阔	widen
kāilǎng	开朗	open and clear; cheerful
kǎn	砍	chop
kǎolǜ	考虑	consider
kēhuànpiàn	科幻片	science fiction movie
kōngjiān	空间	space
kǒng	恐	fear; scare; I am afraid
kǒngpà	恐怕	perhaps; probably
kǒngzǐ	孔子	Confucius
kòng	控	control
kòngzhì	控制	control

kū	哭	cry; weep
kǔnàn	苦难	suffering; misery
kù	酷	cruel; very; cool
kùshǔ	酷暑	intense heat of summer
kuǎn	款	sum of money
kuáng	狂	mad; violent
kuángfēng	狂风	fierce wind
kuángfēng bàoyǔ	狂风暴雨	violent storm
kuàng	况	condition
kuàngshí	矿石	mineral
kuò	阔	wide; broad; rich

L

lādīng	拉丁	Latin
lādīngwén	拉丁文	Latin
là	腊	twelfth lunar month
làyuè	腊月	twelfth month of the lunar year
là	蜡	wax; candle
làzhú	蜡烛	wax candle
láibují	来不及	it's too late (to do sth.)
lán	婪	greedy
lǎn	懒	lazy; sluggish
lǎnduò	懒惰	lazy
làn	滥	excessive
láng	郎	youth; my husband; son-in-law
lǎng	朗	light; bright
làng	浪	wave; unrestrained
làngfèi	浪费	waste
láo	牢	prison; firm
láo	劳	work; labour
láodòng	劳动	work; labour
láodòngjié	劳动节	International Labour Day
lǎotiānyé	老天爷	God; Heaven; Good Heavens
lǎozǐ	老子	Laozi, Chinese philosopher of the late Spring and Autumn Period and founder of Taoism (581-500 B.C.)
lèguān	乐观	optimistic

líhūn	离婚	divorce
lǐfú	礼服	full dress
lǐyí	礼仪	rite; protocol
lǐjiě	理解	understand
lǐ shízhēn	李时珍	Chinese pharmacologist of the Ming Dynasty (1518-1593)
lǐxiǎng	理想	ideal
lìjí	立即	immediately
lìjìn	历尽	experience repeatedly
lìwùpǔ	利物浦	Liverpool
lìyòng	利用	use; make use of
lìzi	例子	example; case
lì	丽	beautiful
liánjiē	连接	join; link
liàn	炼	refine; improve
liàn	恋	love
liàn'ài	恋爱	in love
liáng shānbó	梁山伯	Liang Shanbo
liàng	谅	forgive; excuse
liáo	疗	treat; cure
liáoxiào	疗效	curative effect
liè	列	arrange; measure word
liè	烈	strong; fierce
liè	裂	split; crack
lín	临	be close to; about
línshí	临时	temporary
línsǐ	临死	on one's deathbed
lǐngdǎo	领导	lead; leader
lǐngyù	领域	territory; domain
liú	浏	swift
liúlǎn	浏览	browse
liúchuán	流传	spread
lóng	笼	cage
lú	炉	stove
lù	露	dew; in the open; reveal
lùqǔ	录取	recruit; admit
luàn	乱	in a mess
luànkǎn lànfá	乱砍滥伐	cutting trees at random
lúnliú	轮流	take turns

lúnyǔ	《论语》	the Analects of Confucius
luò	落	fall; drop
luò	络	sth. resembling a net
lǚtú	旅途	journey
lǚxíng	旅行	travel; journey
lǜ	率	rate; ratio
lǜ	虑	consider; worry

M

mà	骂	abuse; curse
mái	埋	cover up; bury
mǎnzhōuguó	满洲国	Manchukuo (a puppet regime created in China's northeastern provinces by the Japanese imperialists, 1931-1945)
mǎnzú	满足	satisfied
mào	貌	looks; appearance
mào	冒	risk; emit
màoxiǎn	冒险	venture
màozhe	冒着	risk
méi	霉	mould; mouldy
méi	媒	matchmaker; vehicle
méitǐ	媒体	media
měilì	美丽	beautiful
mèng	孟	a surname
mèng jiāngnǔ	孟姜女	Meng Jiang Lady
mèngxiǎng	梦想	dream
mí	迷	be confused; crazy about; fan
mián	眠	sleep
mián	棉	cotton
miányī	棉衣	cotton-padded clothes
miǎn	免	exempt; avoid
miànlín	面临	face; confront
míngōng	民工	labourer
míngliú	名流	celebrity
míngxīng	明星	star
mò	漠	desert

mòqī	末期	last stage
mǒu	某	certain; some
mǔqīnjié	母亲节	Mother's Day
mù	墓	grave; tomb
mùdì	墓地	graveyard
mùqián	目前	present; current

N

nǎo	恼	angry
nǎonù	恼怒	angry; furious
nèiróng	内容	content
nénglì	能力	ability
néngliàng	能量	energy
néngyuán	能源	energy resource
niányèfàn	年夜饭	New Year's Eve dinner
niàntou	念头	thought; idea
niáng	娘	mother
niào	尿	urine
níng	宁	peaceful
níngjìng	宁静	peaceful
niúláng	牛郎	Cowherd
niújīn dàxué	牛津大学	Oxford University
nóng	浓	thick; heavy; strong
nónghòu	浓厚	thick; strong; deep
nóngcūn	农村	rural area; country side
nóngyào	农药	pesticide
nóngyè	农业	agriculture
nòng	弄	play with; fiddle with; do; make; get
nù	怒	anger; fury
nǚwā	女娲	Chinese goddess who, according to legend, created human beings and patched up the sky

P

pá	爬	crawl

pāi	拍 pat; strike; racket; take
pāimài	拍卖 auction
pāizhào	拍照 take picture
pàiduì	派对 party
pángǔ	盘古 creator of the universe in Chinese mythology
pàn	判 judge; sentence
pànduàn	判断 judge
péi	培 cultivate; foster
péiyǎng	培养 foster; train
pèi	配 distribute; assign
pī	披 drape over one's shoulder; wrap around
pí	疲 tired
píláo	疲劳 tired
piān	篇 piece of writing; measure word
pín	贫 poor
pínqióng	贫穷 poor
pín	频 frequently
píndào	频道 frequency; channel
pínpín	频频 repeatedly
pínghéng	平衡 balance
píngyì jìnrén	平易近人 modest and easy of access
pò	迫 compel; force
pò	破 broken; destroy
pòhuài	破坏 destroy
pòliè	破裂 burst; split
pǔbiàn	普遍 widespread; common
pǔjí	普及 popular; spread
pǔyí	溥仪 the last emperor (1906-1967)

Q

qī	欺 bully; intimidate
qīfu	欺负 bully; take advantage of
qīdài	期待 expect; look forward to
qījiān	期间 time; period
qīxī	七夕 seventh evening of the seventh moon of the lunar calendar

qǐchū	起初 originally
qǐjū	起居 daily life
qǐyì	起义 uprising
qì	弃 throw away; abandon
qìfēn	气氛 atmosphere
qiānnán wànxiǎn	千难万险 innumerable dangers and hardships
qiānxīn wànkǔ	千辛万苦 all kinds of hardships
qiánhòu	前后 around
qiàn	歉 apology; regret
qín	秦 a surname
qíncháo	秦朝 Qin Dynasty (221-206 B.C.)
qínshǐhuáng	秦始皇 First Emperor of the Qin Dynasty (259-210 B.C.)
qín	勤 diligent
qínfèn	勤奋 industrious
qīngchūnqī	青春期 adolescence
qīngchǔ	清楚 clear; know
qīngjié	清洁 clean
qīngmíngjié	清明节 Qingming Festival
qīngsōng	轻松 carefree; relaxed
qíngkuàng	情况 situation
qíngrén	情人 sweetheart
qíngrénjié	情人节 Valentine's Day
qíngxù	情绪 mood
qǐngjiào	请教 consult; seek advice
qìng	庆 celebrate
qìngzhù	庆祝 celebrate
qióng	穷 poor
qiú	囚 in prison; prisoner
qiúfàn	囚犯 prisoner
qiúhūn	求婚 make an offer of marriage
qiújiào	求教 ask for advice
qiúxué	求学 pursue one's studies
qiúyī	求医 seek for medical treatment
qiúlèi	球类 ball games
qiúmí	球迷 (ball game) fan
qūyuán	屈原 Qu Yuan (340-277 B.C.) minister of the state of Chu and one of China's earliest poets

qǔ	娶 marry (a woman)	
qǔdài	取代 replace	
qǔdé	取得 get; achieve	
qǔjīng	取经 go on a pilgrimage to India for Buddhist scriptures	
quán	权 power; right	
quánlì	权力 power	
quàn	劝 advise; try to persuade	
quàngào	劝告 advise	
quēfá	缺乏 be short of	
qún	群 crowd; flock; measure word	

R

rǎn	染 dye; catch	
rè'ài	热爱 deep affection	
rén	仁 benevolence	
rénjì	人际 interpersonal	
rénlèi	人类 mankind	
rénnǎo	人脑 human brain	
rénshēngguān	人生观 outlook on life	
rìhòu	日后 in the future	
rìxīn yuèyì	日新月异 change with each passing day	
rìyè	日夜 day and night	
rìzi	日子 date; day	
róngliàng	容量 capacity	
rú	儒 Confucianism	
ruò	弱 weak; frail	

S

sǎn	伞 umbrella	
sànfā	散发 emit	
sǎomù	扫墓 pay respect at sb.'s tomb	
sǎoxìng	扫兴 feel disappointed	
sèqíng	色情 pornographic	

sēng	僧 Buddhist monk	
shāmò	沙漠 desert	
shàn	擅 be good at; do sth. without the approval	
shàncháng	擅长 be good at	
shànshì	善事 good deed; charitable work	
shànyú	善于 be good at	
shānghài	伤害 injure; harm	
shāngyè	商业 commence; trade	
shè	摄 take; absorb; take a photo; photo	
shèxiàngjī	摄像机 video camera	
shèyǐng	摄影 take a photo; film	
shèyǐngshī	摄影师 photographer	
shèhuì	社会 society	
shèjì	设计 design	
shēn	申 state; explain	
shēnqǐng	申请 apply for	
shēntǐ	身体 body; health	
shēn	深 deep	
shēnyuǎn	深远 profound	
shénhuà	神话 mythology	
shèn	甚 very	
shènzhì	甚至 even	
shēngcún	生存 survive	
shēngmìng	生命 life	
shēngtài	生态 ecology	
shēng	升 rise; promote	
shēngxué	升学 go to a school of a higher grade	
shěngfèn	省份 province	
shèngdànjié	圣诞节 Christmas	
shèngdànkǎ	圣诞卡 Christmas card	
shèngdàn lǎorén	圣诞老人 Santa Clause	
shèngdànshù	圣诞树 Christmas tree	
shī	尸 corpse	
shīgǔ	尸骨 skeleton; remains	
shītǐ	尸体 corpse	
shīmián	失眠 insomnia	
shīqù	失去 lose	
shīwàng	失望 lose hope; be discouraged	

187

shíjì	实际	actual
shíxiàn	实现	realize; achieve
shízài	实在	practical; really
shíqī	时期	period; stage
shíshì	时事	current affairs
shízú	十足	sheer
shǐ	驶	drive
shì	逝	die; pass
shì	嗜	be addicted to
shìhào	嗜好	hobby; addiction
shìdàng	适当	suitable; proper
shìdài	世代	for generations
shìjì	世纪	century
shìjièbēi	世界杯	World Cup
shōují	收集	collect
shōuyīnjī	收音机	radio set
shòu	授	award; teach
shū	输	lose
shúxī	熟悉	know sth. or sb. well
shùliàng	数量	quantity; amount
shù	束	bind; bunch
shùmǎ	数码	numeral
shùmǎ (zhào)xiàngjī	数码(照)相机	digital camera
shuǐtǔ liúshī	水土流失	soil erosion
shuìmián	睡眠	sleep
shuìměirén	《睡美人》	Sleeping Beauty
shùn	顺	obey; in good luck
shùnlì	顺利	smoothly; successfully
sī	私	private; secret; illegal; selfish
sīlù	思路	train of thought
sīniàn	思念	think of; miss
sīwéi	思维	thought; thinking
sìchù	四处	everywhere
sìyuàn	寺院	temple; monastery
sōng	松	loose; relax; fluffy
sū	苏	revive
sūgélán	苏格兰	Scotland
sūlián	苏联	Soviet Union
sú	俗	custom

súhuà	俗话	common saying; proverb
sù	速	fast; speed
sùdù	速度	speed
sù	塑	model; mould
sùzào	塑造	model; portray
sùzhì	素质	quality
suí	随	follow
suízhe	随着	along with; following
sǔn	损	harm
sǔnhài	损害	harm; damage
suǒ	索	search; demand

T

tà	踏	step on
tàipíng tiānguó	太平天国	Taiping Heavenly Kingdom (1851-1866)
tàiyángnéng	太阳能	solar energy
tān	贪	greedy
tānlán	贪婪	greedy
tānlán zhāo huò	贪婪招祸	greed causes misfortune or disaster
tàn	探	explore
tànsuǒ	探索	explore
tāngyuán	汤圆	stuffed dumplings made of glutinous rice flour served in soup
tángniàobìng	糖尿病	diabetes
tàng	趟	measure word
táokè	逃课	play truant
tígāo	提高	raise; improve
tǐhuì	体会	know or learn from experience
tǐjī	体积	volume; size
tiānqì yùbào	天气预报	weather forecast
tiānzhēn	天真	innocent; naive
tiān'é	天鹅	swan
tiān'éhú	《天鹅湖》	Swan Lake
tiáojiàn	条件	condition; state
tiǎozhàn	挑战	challenge; to fight

tīngcóng	听从	obey; follow; comply with
tōngxùn	通讯	communication
tónghuà	童话	fairy tales
tǒng	统	system; all
tǒngyī	统一	unite
tǒngzhì	统治	rule; dominate
tòngkǔ	痛苦	pain; agony; suffering
tòngkuai	痛快	happy; delighted
tóu	投	throw
tóukào	投靠	go and seek sb.'s patronage
tóuyūn	头晕	dizzy
tūpò	突破	break through
tǔshēng tǔzhǎng	土生土长	locally born and bred
tuánjù	团聚	reunite
tuīfān	推翻	overthrow
tuīxíng	推行	carry out; pursue
tuìwèi	退位	abdicate
tuō	托	hold up sth. serving as support; ask; beg

W

wánquán	完全	complete; whole
wǎnbèi	晚辈	younger generation
wànshèngjié	万圣节	All Saints' Day
wànshì rúyì	万事如意	May all go well with you!
wànwù	万物	all creatures
wángcháo	王朝	dynasty
wángfēi	王妃	princess
wángmǔ niángniáng	王母娘娘	Queen Mother of the Western Heavens
wángshì	王室	royal family
wángwèi	王位	throne
wǎngluò	网络	network
wǎngyè	网页	home page
wàngyuǎnjìng	望远镜	telescope; binoculars
wēi	危	danger; hazard
wēihài	危害	harm
wéi	违	disobey; violate

wéifǎn	违反	violate
wéi	唯	only
wéiyī	唯一	only
wéizhǐ	为止	till; up to
wēnshì xiàoyìng	温室效应	green house effect
wénhuà dà gémìng	文化大革命	the Cutural Revolution (1966-1976)
wénrén	文人	man of letters; scholar
wénxué	文学	literature
wěn	稳	steady
wěndìng	稳定	stable
wèi	未	not yet
wèilái	未来	coming; future
wènzhěn	问诊	inquire; inquiry
wǒ de fùqin hé mǔqin	《我的父亲和母亲》	The Road Home
wū	污	dirt; dirty
wūrǎn	污染	pollution; pollute
wǔchāng qǐyì	武昌起义	Wuchang Uprising (October 10, 1911)
wǔdǎpiàn	武打片	kung fu movie
wù	误	mistake; error
wùchǎn	物产	product
wùjí bìfǎn	物极必反	no extreme will last long
wùzhì	物质	material; substance

X

xīdú	吸毒	drug taking
xīyóujì	《西游记》	Journey to the West
xī	夕	sunset
xī	悉	know; learn; be informed
xǐquè	喜鹊	magpie
xì	系	department
xiàjiàng	下降	descend; fall
xiàjuéxīn	下决心	make up one's mind
xiàluò	下落	whereabouts
xiàwēiyí	夏威夷	Hawaii

xiān	仙 immortal	
xiānnǚ	仙女 fairy maiden	
xiānqián	先前 in the past; previously	
xián	闲 not busy; leisure	
xiǎn	险 dangerous; risk	
xiàn	县 county	
xiàn	献 offer	
xiāngchǔ	相处 get along with one another	
xiāngjiàn	相见 meet; see each other	
xiāngshānxiàn	香山县 Xiangshan County	
xiǎng	享 enjoy; share	
xiǎngnián	享年 die at or live to the age of	
xiǎngshòu	享受 enjoy; treat	
xiàngshàng	向上 upward; improve	
xiāo	宵 night	
xiāo	消 disappear; reduce	
xiāofángyuán	消防员 fireman	
xiāomó	消磨 wear down	
xiāoxi	消息 news; information	
xiào	孝 filial piety	
xiàoshùn	孝顺 show filial piety	
xiàoguī	校规 school rules	
xiào	效 effect; imitate; dedicate oneself	
xiàolǜ	效率 efficiency	
xié	携 carry; bring along	
xiédài	携带 bring along	
xīn	欣 glad; happy	
xīnshǎng	欣赏 enjoy; admire	
xīnlǐ	心理 psychology	
xīnsi	心思 idea; thought; mind	
xīnzàng	心脏 heart	
xīnzàngbìng	心脏病 heart disease	
xīnhài gémìng	辛亥革命 Revolution of 1911 (led by Dr. Sun Yat-sun, which overthrew the Qing Dynasty)	
xìnxī	信息 message; news; information	
xìnyǎng	信仰 belief; faith	
xīngchén	星辰 stars	
xíng	型 model; type	

xíngdòng	行动 act	
xínggōng	行宫 imperial palace	
xíngwéi	行为 behaviour; conduct	
xíngyī	行医 practise medicine	
xíngxiàng	形象 image	
xǐng	醒 wake up	
xìng	幸 good fortune; happiness	
xìngfú	幸福 happiness	
xiōng	凶 unlucky; fierce	
xiōngshā	凶杀 homicide; murder	
xióng	雄 male; mighty	
xiū	羞 shy; shame	
xiūjiàn	修建 build; construct	
xiūzhù	修筑 build; constrult	
xiūxián	休闲 have leisure	
xū	虚 false	
xūgòu	虚构 fabricate	
xù	序 order; sequence	
xùliè	序列 order; sequence	
xù	绪 mood	
xuánzàng	玄奘 Buddhist Scholar of Tang Dynasty (602-664)	
xuǎn	选 choose; elect	
xuǎnzé	选择 select	
xué ér bú yàn	学而不厌 be insatiable in learning	
xué ér shí xí zhī	学而时习之 learn and constantly review what one has learned	
xuépài	学派 school of thought	
xuéshuō	学说 teachings	
xuézhě	学者 scholar	
xuè	血 blood	
xuèyè	血液 blood	
xún	寻 look for; seek	
xúncháng	寻常 ordinary; normal	
xúnzhǎo	寻找 seek; pursue	
xùn	讯 inquire; question; message	

Y

yā	压	press
yālì	压力	pressure
yāsuìqián	压岁钱	money given to children as a lunar New Year gift
yāzhì	压制	suppress
yáchǐ	牙齿	tooth
yān	烟	smoke; cigarette
yánhán	严寒	icy cold
yán	研	study; research
yánjiū	研究	study; research
yánlùn	言论	opinion on public affairs
yánxíng	言行	words and deeds
yǎnjiè	眼界	field of vision or view
yǎnyuán	演员	actor or actress
yánglì	阳历	solar calendar
yǎng	仰	look up; admire
yāo	邀	invite; ask
yāoqǐng	邀请	invite
yāoqiú	要求	require
yàofāng	药方	prescription
yàowùxué	药物学	pharmacology
yàoxìng	药性	property of a medicine
yàoyòng	药用	used as medicine
yè	液	liquid; fluid
yè	页	page
yīliáo	医疗	medical treatment
yīzhì	医治	cure
yí	遗	lose; omit; leave behind
yíhàn	遗憾	deep regret
yí	疑	doubt
yínán	疑难	difficulty
yí	仪	appearance; ceremony; instrument
yǐgù	已故	late; deceased
yǐwǎng	以往	in the past
yǐzhì	以至	so ... that
yì	亦	as well as; also
yì	译	translate; interpret

yì	艺	skill; art
yìshù	艺术	art; skill
yìshùjiā	艺术家	artist
yì	异	different
yìxìng	异性	opposite sex
yìcháng	异常	unusual; extraordinary
yìfāngmiàn... lìng yìfāngmiàn	一方面……另一方面	on the one hand... on the other hand
yìwú suǒzhī	一无所知	be completely in the dark
yīn	姻	marriage
yínhé	银河	Milky Way
yǐnyòu	引诱	lead astray
yìndù	印度	India
yīngjùn	英俊	good-looking and bright
yīngxióng	英雄	hero
yīngyǒu	应有	deserved; proper
yíng	赢	win
yíngjiē	迎接	receive; meet; welcome
yǐngpiàn	影片	film
yǐngxīng	影星	movie star
yōuyì	优异	excellent; superb
yóu	尤	fault; especially
yóuqí	尤其	particularly
yóucǐ kějiàn	由此可见	it is thus clear that
yóulái	由来	cause; reason
yóulì	游历	travel
yǒuguān	有关	relate to
yǒujiào wúlèi	有教无类	in education, there should be no distinction of social status
yǒusuǒ	有所	to some extent
yǒuwàng	有望	hopeful
yǒuxiào	有效	effective
yòu	诱	induce; lure
yòu	幼	young; children
yòuzhì	幼稚	young; immature
yòuzhìyuán	幼稚园	kindergarten
yòngyǔ	用语	terminology; term
yú	愉	pleased; happy
yúkuài	愉快	happy; joyful

yú	余	surplus; more than
yǔ	宇	universe
yǔzhòu	宇宙	universe
yǔzhòuguān	宇宙观	world view
yǔ	予	give; grant
yǔ/yù	与	with; and; take part in
yǔlù	雨露	rain and dew
yù	预	before hand
yùbào	预报	forecast
yùfáng	预防	prevent
yùjì	预计	anticipate; estimate
yùshí	玉石	jade
yù	域	domain; region
yù	狱	prison
yuánliàng	原谅	excuse; forgive
yuándàn	元旦	New Year's Day
yuánxiāo	元宵	15th night of the first lunar month; (glutinous) rice dumpling
yuánxiāojié	元宵节	the Lantern Festival (15th day of the first lunar month)
yuán	源	source
yuǎndà	远大	lofty
yuàn	愿	wish; willing
yuànyì	愿意	willing; wish
yuàn	怨	complain; blame
yuēshù	约束	restrain; constrain
yuèdú	阅读	read
yūn	晕	dizzy; faint
yùn	孕	pregnant
yùnyù	孕育	be pregnant with; breed

Z

zāi	灾	disaster
zāihài	灾害	disaster
zàiwàng	在望	be in sight
zàiyú	在于	lie in; depend on
zān	簪	hairpin

zàng	脏	internal of the body
zào	噪	make an uproar
zàoyīn	噪音	noise
zàochéng	造成	cause
zé	责	duty; blame
zérèn	责任	duty; responsibility
zé	则	indicating contrast
zé	择	select; choose
zēng	增	increase; enhance
zēngjiā	增加	increase
zēngtiān	增添	add; increast
zēngzhǎng	增长	increase
zhǎn	展	stretch; exhibition
zhǎnchū	展出	display; exhibit
zhàn	战	war; fight
zhànzhēng	战争	war
zhànlǐng	占领	capture; seize; occupy
zhāng yìmóu	张艺谋	Zhang Yimou
zhǎngbèi	长辈	elder or senior
zhāo	招	cause; attract
zhé	哲	intelligent
zhéxué	哲学	philosophy
zhēnzhèng	真正	real; truly
zhěn	诊	examine (a patient)
zhēngyuè	正月	first month of the lunar year
zhèngcháng	正常	normal; usual
zhèngdāng	正当	just when
zhèngjiàn	政见	political view
zhèngshì	正式	formal
zhèng	症	disease
zhèngzhuàng	症状	symtom
zhīchí	支持	support
zhījiān	之间	between; among
zhīnǚ	织女	Weaver Girl
zhīshi	知识	knowledge
zhīzú chánglè	知足常乐	contentment is happiness
zhí	值	happen to; value
zhí	植	plant
zhíwù	植物	plant

zhíwùyuán	植物园 botanical garden	
zhí	职 duty; post	
zhíyè	职业 occupation; profession	
zhí	执 take charge of	
zhídǎo	执导 direct	
zhízhào	执照 licence; permit	
zhízhèng	执政 be in power	
zhízhì	直至 until	
zhì	致 achieve; bring about	
zhì	稚 young; childish	
zhì	制 work out; control; system	
zhìdù	制度 rules; system	
zhìzhǐ	制止 ban; prevent	
zhì	至 reaching; to; until	
zhìjīn	至今 up to now	
zhìshǎo	至少 at least	
zhìxiàng	志向 ambition	
zhìnéng	智能 intellect and ability	
zhōng	终 end; finish; death	
zhōngyú	终于 in the end; finally	
zhōnghuá mínguó	中华民国 Republic of China (1912-1949)	
zhōngyè	中叶 middle period	
zhòng	众 crowd	
zhòngshì	重视 lay stress on	
zhōushēn	周身 whole body	
zhōuyóu	周游 journey round	
zhòu	宙 time	
zhú	逐 pursue	
zhú	烛 candle	
zhǔjué	主角 leading role	
zhǔzhāng	主张 advocate	
zhù	筑 build; construct	
zhùyìlì	注意力 attention	
zhùzuò	著作 work; book	
zhùhè	祝贺 congratulate	
zhùfú	祝福 blessing; wish	
zhù yīngtái	祝英台 Zhu Yingtai	
zhuāhuò	抓获 catch; arrest	
zhuānyè	专业 specialized subject; professional	

zhuāngshì	装饰 decorate	
zhuàng	撞 crash	
zhuàng	状 shape; condition	
zhuàngtài	状态 state; condition	
zhuī	追 chase; pursue	
zhuīqiú	追求 pursure	
zhǔnquè	准确 accurate	
zī	滋 grow	
zīxùn	资讯 information	
zìbēi	自卑 feel inferior	
zìjìn	自尽 commit suicide	
zìsī	自私 selfish	
zōng	宗 sect	
zōngjiào	宗教 religion	
zǒngtǒng	总统 president	
zǒngzhī	总之 generally speaking; in brief	
zòu	奏 play; perform	
zuì	罪 guilt; offence; crime	
zuìjiā	最佳 best	
zūn	尊 respect	
zūnjìng	尊敬 respect	
zuòbàn	做伴 keep sb. company	
zuòrén	做人 behave; get along with people	
zuòláo	坐牢 be in jail	
zuòjiā	作家 writer	
zuòpǐn	作品 works (of art and literature)	
zuòwéi	作为 as; regard as	
zuòyòng	作用 affect; action; effect	